LA PITTURA POMPEIANA

testi a cura di
Valeria Sampaolo

fotografie di
Luigi Spina

Electa

Gli affreschi provenienti dalle città vesuviane, i "tanti bei quadri per il Re" (M. Venuti) dapprima conservati nelle sale del Museo di Portici, poi entrati, nel 1827, a far parte del Real Museo Borbonico, vengono finalmente presentati al pubblico in un nuovo allestimento che cerca di offrirne, per quanto possibile, una lettura non più come singoli quadri ma come parti di contesti unitari.

Al criterio dei precedenti ordinamenti, per soggetti e per temi mitologici, si è preferito quello della ricomposizione dell'insieme di provenienza; sarà così possibile cogliere le differenze culturali e di gusto tra chi aveva scelto di far decorare la propria casa con le storie eroiche di Achille e di Perseo e chi, invece, aveva preferito storie d'amore di Ninfe, Nereidi, e Satiri.

Pezzi famosissimi acquistano quindi nuova vita: non più isolati 'capolavori' ma elementi compositivi di una decorazione elegante ed articolata, che spesso racconta molto dei gusti del committente.

Dalla sala incentrata sulla tecnica della pittura antica si passa a quella dedicata alla scoperta delle pitture, nella quale sono esposte, assieme al primo pezzo staccato a Pompei, vignette a fondo nero con Satiri funamboli e Figurine volanti, "fluide come il pensiero e belle come se fossero fatte per mano delle Grazie" (J.J. Winckelmann), riprodotte infinite volte da artisti e artigiani della fine del Settecento; dai pezzi che Carolina Murat scelse per il proprio salottino si passa quindi alle solenni megalografie di età cesariana, provenienti dalla Villa di *Fannius Synistor* a Boscoreale, ai quadri con tante storie di dei e di eroi, fino alle decorazioni di larari e agli esempi di pittura popolare.

The frescoes originate from the cities below the slopes of Vesuvius. The "so many beautiful paintings for the king" (M. Venuti) were first kept in the Museum of Portici. Then, in 1827, they joined the collection of the Royal Bourbon Museum. Now, they are being displayed to the public in a new exhibition that attempts to offer, as much as possible, a presentation of these paintings as elements of a much larger context.

For paintings with mythological subjects and themes, the arrangement that has been preferred is that of an overall reassembly of their provenance; it will therefore be possible to recognize differences of a cultural nature as well as differences of taste between those who chose to decorate their home with the heroic stories of Achilles and Perseus and those who, instead, preferred the love stories of nymphs, nereids, and satyrs.

Thanks to this arrangement, the most well-known pieces have gained new vitality: no longer isolated "masterpieces" but compositional elements of a defined and elegant decorative scheme, which often reveals much about the tastes and preferences of the commissioner of the works.

The exhibition begins with displays dedicated to the technical aspects of ancient painting and leads from there to a hall explaining the discovery of the paintings. On display in this room, in conjunction with the first piece removed at Pompeii, are vignettes with acrobat satyrs and flying figures against a black background, "as fluid as a thought and as beautiful as if they had been made by the Graces themselves" (J.J. Winckelmann). These were copied infinite times by artists and artisans at the end of the 1700's. Then, from the pieces that Carolina Murat chose for her own private quarters, the exhibition leads to the solemn large scale paintings from the age of Caesar that originate from the Villa of *P. Fannius Synistor* in Boscoreale. The exhibition then moves on to paintings with various stories of gods and heroes and ends with the decorations of the *lararia* (i.e. the shrines to the household gods) and examples of folk art.

3

4

Architettura con maschere,
da Boscoreale,
Villa di *P. Fannius Synistor*
Architecture with masks,
from Boscoreale,
Villa of *P. Fannius Synistor*

Candelabro, da Pompei,
villa presso la Real
Scuderia
Candelabrum from
Pompeii, Villa
near the Royal Stables

sala LXVI

La tecnica della pittura antica

La decorazione dipinta negli edifici antichi era eseguita ad affresco: i colori venivano stesi su di uno strato di intonaco ancora umido nel quale, asciugandosi, si incorporavano indelebilmente. Alcuni particolari erano dipinti successivamente, sia a mezzo-fresco, sia a fresco-secco.

Sullo strato di intonaco più raffinato, l'arriccio, veniva eseguita la "prova" di figurazione ossia la sinopia e il giorno stesso in cui si sarebbe cominciato a dipingere veniva steso il così detto intonachino sul quale veniva rapidamente inciso lo schema della decorazione, completo di pressoché tutti i particolari e due o più pittori, cominciando dall'alto, procedevano alla dipintura.

Il *pictor parietarius*, con l'aiuto di lenze, compassi, punteruoli, squadri, simili a quelli esposti nella vetrina, disegnava gli elementi architettonici (colonne, edicole, podi, fastigi) di sfondo e di inquadratura, le linee di contorno degli elementi accessori che sarebbero poi stati definiti con il colore nei minimi particolari.

Veniva risparmiato lo spazio per i quadri figurati che il *pictor imaginarius* poteva eseguire a bottega su una tavola di legno, inserita poi nello spazio appositamente riservato; oppure dipingere direttamente sulla parete dopo la stesura dell'intonachino nella zona del quadro.

Il ritrovamento di impronte o di residui di tavole di legno, o di quadri staccati e poggiati per terra, o "appesi al muro con un rampino di ferro" è la prova che tale tipo di dipinti poteva essere "riportato".

I pittori romani erano copisti, più o meno abili, che riproducevano modelli della grande pittura greca inserendovi a volte varianti di loro creazione. La identica ripetizione di schemi uguali fa pensare all'esistenza e alla circolazione di "cartoni", anche se non siamo in grado di precisare come essi si presentassero per materiale e dimensioni. Per il riporto, l'ingrandimento o il rimpicciolimento dei soggetti si utilizzavano sistemi meccanici come il compasso di proporzione; esistevano maschere e stampini per la riproduzione di motivi decorativi ripetitivi, come le cornici, lesbie o a boccioli di loto, o i "bordi di tappeto".

Non sono noti i nomi di pittori di età romana, con l'eccezione di *Fabullus* e di *Ludius* o *Studius* che decorarono la *Domus Aurea* di Nerone. Plinio parla anche di una pittrice, Iaia di Cizico, vissuta intorno al

room LXVI

The techniques of ancient painting

Painted decoration in ancient buildings was carried out in fresco. The colours were spread on a layer of plaster while it was still wet, and so would become an indelible part of the plaster as it dried. Some details would be painted subsequently on drying or dampened dry plaster, using, respectively, the 'mezzo-fresco' or the 'fresco-secco' technique.

A preliminary 'trial' − a sketch − of the overall composition was carried out on a layer of rough plaster, called the *arricio*. On the day that the painting was to begin, the so-called *intonachino* plaster coat was spread. The scheme of the planned decoration was scratched rapidly into this coat, complete in almost all details, and two or more painters would begin the painting itself, starting at the top of the wall.

The *pictor parietarius* drew the architectural elements (columns, *aediculae*, bases, pediments) for the background and the frame, employing equipment such as plumb-lines, compasses, punches and set-squares. He also drew the outlines of lesser elements of the composition, elements that were then defined more clearly, with colour used for the smallest details.

Space was left for the figured panels that the *pictor imaginarius* might paint on wooden boards in his studio, to be set into the spaces reserved for them. Otherwise he might paint directly onto the wall in the area reserved for the panel after the scheme had been sketched on the *intonachino*. The discovery of impressions or remains of wooden boards from panels that were removed or had fallen out of the wall (where they had been fixed by an iron hook) provides evidence that paintings of this kind could be 'brought in'.

Roman painters were copyists of greater or lesser ability, who reproduced originals that were part of a heritage of great Greek painting, adding variations of their own creation from time to time. The identical repetition of the same compositions lead us to believe in the existence and circulation of 'cartoons', even if we can't be sure what form they took, the materials they were made of, or their dimensions. Ancient painters made use of mechanical devices such as proportional dividers to transfer images, and to enlarge or reduce the subjects depicted. Masks and stamps existed for reproducing repeated decorative motifs like cornices, lesbian, lotus buds or 'carpet border' patterns. We don't know the names of any Roman painters except for *Fabullus* and *Ludius* (or *Studius*) who

100 a.c., e due quadretti sono una indiretta conferma di ciò in quanto in entrambi è raffigurata una donna che sta dipingendo.

Pitture su marmo

Accanto alla pittura su intonaco e su legno esisteva anche la pittura su marmo, restituita dalle città vesuviane in una decina di esemplari. A lungo quei quadri sono stati considerati monocromi ma analisi fotografiche ai raggi ultravioletti e a fluorescenza UV hanno rivelato la presenza di colori come il rosa, il giallo, il rosso e il nero.

La lastra su cui sono dipinte le così dette "Giocatrici di astragali", esposta nella Sala LXVIII, sul retro è assottigliata presso i bordi per essere inserita in una cornice. Di quel quadro conosciamo anche l'autore, *Alexandros athenaios* che ha 'firmato' in alto a sinistra. Quasi tutti i dipinti su marmo sono stati trovati a Ercolano sia durante gli scavi settecenteschi, sia negli scavi più recenti, mentre Pompei ne ha restituiti solo due.

I colori

I pigmenti usati, come spiega Plinio, erano di origine minerale, vegetale ed animale, come la porpora derivata dalla macerazione di molluschi (*myrex brandaris*) o come il nero ottenuto con la combustione dell'avorio; in base al loro pregio si distinguevano in *piani* quelli più diffusi e alla portata comune e in *floridi* quelli più costosi ma anche più brillanti.

Molto utilizzate erano le ocre dalle quali si traevano innanzi tutto i gialli: la migliore era il *sil atticum* che si presenta sia in polvere che in grumi, conteneva ferro, silice, alluminio, manganese, magnesio e idrossido di ferro.

I rossi si trovano allo stato naturale di *rubrica* (ematite) o si ottenevano per calcinazione dell'ocra gialla cotta in vasi assolutamente integri perché non si disperdesse il calore. La varietà pregiata del rosso era il cinabro, il *minium* degli antichi, (solfuro di mercurio) dalle vivide tonalità brillanti che ben conosciamo nel salone della Villa dei Misteri o nella Casa dei Vettii, che aveva il difetto di annerire alla luce solare.

Il verde veniva tratto da minerali contenenti glauconite o celadonite, la qualità più pregiata derivava dalla malachite.

Per il bianco si utilizzava il carbonato di calcio; una variante particolarmente stabile era il paretonio, che prendeva nome da una località costiera dell'Egitto e che si trovava anche a Creta e Cirene.

Il blu più diffuso, prodotto inizialmente ad Alessandria, era la così detta "fritta" o blu egizio, derivato da una miscela di sabbia e fior di nitro con rame che veniva grossolanamente limata e bagnata, agglomerata in palline passate in fornace e poi triturate. Le analisi hanno confermato la presenza di cristalli costituiti principalmente da silicati insolubili di rame, ossido di calcio, calcite, quarzo derivanti dalle

decorated Nero's *Domus Aurea*. Pliny also writes of a female painter, Iaia of Cyzicus, who lived around 100 BC. Two small panel paintings depicting a woman painting provide indirect confirmation of this phenomenon.

Painting on marble

Alongside paintings on *intonaco* and on wood there were also paintings on marble. Ten or so examples of these have been recovered from the Vesuvian cities. For a long time it was thought that these panels were monochrome, but photographic analysis with ultraviolet radiation and UV fluorescence has revealed the existence of colours such as pink, yellow, red and black.

The back of the marble slab on which the so-called 'Women Playing Knucklebones' is painted (on display in room LXVIII) is bevelled around the edges so it can be set in a cornice. We also know the name of the artist, *Alexandros Athenaios* (Alexander the Athenian) who 'signed' the piece at the top, on the right. Almost all the paintings on marble were found at Herculaneum, both in 18th century excavations and more recent ones. Only two have been found at Pompeii.

Colours

The pigments employed, as Pliny explains, were mineral, vegetal and animal in origin. For example, there was the purple derived from soaking a particular kind of mollusc (*myrex brandaris*); and the black obtained from burning ivory. Based on their price, they are defined as either 'plain'(the more widespread ones, in common use) or 'florid'(the more expensive, but also more brilliant colours).

Various types of ochre were in widespread use, the source of all shades of yellow. The best was *sil atticum*, which could be found either as a powder or in lumps, containing iron, silica, aluminium, manganese and iron hydroxide.

Reds could be found in nature as *rubrica* (haematite) or obtained by calcification of yellow ochre cooked in vessels that were completely sealed so as not to disperse the heat. The most precious pigment of red was cinnabar (mercury sulphide), called *minimum* in antiquity. This had the vivid bright tone that we know so well from the reception room of the Villa of the Mysteries and from the House of the Vettii, where, unfortunately, it has blackened through exposure to the sun.

Green could be extracted from minerals containing glauconite or celadonite, the most expensive pigment coming from malachite.

To produce white, Romans used calcium carbonate. A particularly stable version of this was *Paretonium*, which took its name from a place on the Mediterranean coast of Egypt. It was also found on Crete and Cyrene.

The most widely distributed blue, initially produced at Alexandria, was the so-called 'frit', or 'Egyptian Blue'. This was made by mixing and soaking sand, flowers of soda and copper filings. The mixture was

Pittrice, da Pompei,
Casa del Chirurgo
Female painter,
from Pompeii, House
of the Surgeon

Attributi dionisiaci,
da Pompei, *Praedia*
di *Iulia Felix*
Dionysiac symbols,
from Pompeii, *Praedia*
of *Julia Felix*

materie prime impiegate per la sua preparazione. Quando negli ultimi anni della Repubblica *C. Vestorius*, un uomo d'affari amico di Cicerone, ne introdusse la produzione a Pozzuoli e la diffuse in Campania e in Gallia, fu noto anche con il nome di *vestorianum puteolanum*. I molto più costosi azzurri naturali erano l'*armenium* ottenuto dall'azzurrite e lo *scythicum* ossia il lapislazzuli.

Per il nero si utilizzava per lo più carbonio di origine vegetale, ottenuto dalla combustione di resina, aghi o corteccia di pino o di viticci, ma era diffuso anche quello derivante dalla combustione di ossa.

formed into pellets and baked in a furnace before being ground up. Analysis has confirmed the presence of crystals primarily made up of insoluble silicates of copper, calcium oxide, calcite and quartz deriving from the primary materials used in the preparation of the pigment. In the last years of the Republic, C. Vestorius, a businessman friend of Cicero, introduced the production of this pigment to Pozzuoli, leading to the spread of its use spread in Campania and Gaul. For this reason it was also known as *vestorianum puteolanum*. The most expensive natural blue pigments were *armenium*, obtained from azzurrite, and *scythicum*, otherwise known as lapis lazuli.

To produce black, for the most part Romans used carbon from plant material, by burning pine resin, needles or bark, or vines. However, the use of a black pigment derived from the burning of bone was also widespread.

sala LXVIII

La scoperta delle pitture

"Solo il Re di Sicilia si può vantare di avere dei capolavori perfettamente conservati". La raccolta di pitture antiche che si formò con la scoperta della città vesuviane (1738 Ercolano, 1748 Pompei e *Stabiae*) costituisce la caratteristica più specifica e ineguagliata del Museo Archeologico Nazionale di Napoli. Il re Carlo di Borbone, che sostenne economicamente le prime ricerche, dispose che quanto tornava in luce fosse esposto, per chi ne avesse fatto richiesta, nella sua residenza di Portici nella quale fu allestito l'*Herculanense Museum*. Con le fughe dei Borbone, a seguito della rivoluzione del 1799 e dell'avanzata napoleonica nel 1806, iniziò la fine di quell'esposizione: Ferdinando portò con sé a Palermo molti materiali archeologici che non fecero più ritorno dalla Sicilia, mentre per ragioni di opportunità e di sicurezza, anche in rapporto alle eruzioni del Vesuvio, si decise di trasferire a Napoli tutto il contenuto del Museo di Portici, operazione che, tra alterne vicende, terminò nel 1826.

Il metodo per estrarre gli affreschi fu rapidamente messo a punto dai responsabili dei lavori e il distacco era eseguito "a massello", ossia "dopo aver scalfito la muratura intorno al quadro che si vuole trasportare, si fa in modo che i quattro lati siano diritti il più possibile, dopo di che si inseriscono quattro assi di legno contenuti e rinserrati in lunghi cavicchi di ferro. Compiuta questa operazione si sega il muro del dietro e si stacca insieme al quadro prendendo la precauzione di rinforzarla con una lastra di una specie ardesia o di una pietra sottile e nera chiamata lavagna, unita con un solido legante al corpo stesso dell'intonaco su cui è la pittura ad affresco. È più facile staccare così le pitture piuttosto che l'intonaco sul quale il dipinto è spesso e solido tanto che tutti i quadri di medie dimensioni sono stati staccati senza soffrire alcuna alterazione" (da Saint-Non, *Voyage Pittoresque,* 1781). La cassetta che era servita per il prelievo diveniva poi il supporto per la cornice cui, nei primi anni, si aggiungevano lastre di cristallo così che gli intonaci dipinti divenivano "tanti bei quadri per il Re".

La scelta dei pezzi da tagliare spettò dal 1752 a Camillo Paderni (Custode del Museo Ercolanese fino al 1781) che godé della massima stima e fiducia di Carlo III. Egli decideva anche quali pezzi "diroccare" perché non finissero in mani estranee o di falsificatori, dopo che erano

room LXVIII

The discovery of the paintings

"Only the King of Sicily can boast of having such perfectly pre-served masterpieces". The most remarkable and unequaled feature of the Museo Archeologico Nazionale of Naples is its collection of ancient paintings, formed after the discovery of the Vesuvian cities (Hercula-neum in 1738, Pompeii and Stabiae in 1748). King Charles of Bourbon financed the early excavations, and arranged for the objects uncovered to be displayed – to those who asked his permission – in the *Hercu-lanense Museum*, located within his palace at Portici. The flight of the Bourbons after the revolution of 1799 and the Napoleonic advance of 1806 marked the beginning of the end of this display. Ferdinand took large numbers of archaeological finds with him to Palermo, and these never returned from Sicily. Then it was decided to transfer the entire contents of the Museum of Portici to Naples, a decision influenced both by the opportunity to move the collection and by concerns for security, relating in part to the eruptions of Vesuvius. The transfer was completed in stages by 1826.

The method for removing frescoes was quickly improved by those directing the work, and the extraction was carried out in blocks ('a massello'). Or rather, "The wall around the painting that is to be moved is cut into in such a way that the four sides are as straight as possible. Then four wooden beams are inserted into the cuts, held by and en-closed within long iron beams. Once this is done, the wall is cut from behind and removed along with the painting. The precaution is taken to reinforce it with a slab of a type of slate or of a thin black stone called 'lavagna', which is securely attached to the plaster upon which the fresco is painted. It is much easier to detach the painting in this way than to remove the plaster that the painting is on. Thus all medium-sized paintings are removed in this way without suffering any damage" (from Saint-Non, *Voyage pittoresque,* 1781). The framework that had been used to remove the painting then became the support for the frame which held, in the early years, crystal glass sheets. In this way the painted frescos became "many beautiful pictures for the King."

From 1752 Camillo Paderni (Custodian of the Herculaneum Muse-um until 1781) was responsible for choosing which paintings to remove. Paderni enjoyed the full esteem and trust of Charles III. He also de-

Scenografia teatrale,
da Ercolano, Palestra,
Insula Orientalis
Theatrical settings,
from Herculaneum,
Palaestra, *Insula Orientalis*

Sileno, da Pompei,
Villa di Cicerone
Silenos, from Pompeii,
Villa of Cicero

stati giudicati non degni della collezione reale. Furono asportate anche superfici di notevole estensione, con rari incidenti. Nel 1755, quando si lavorava a Pompei al primo scavo dei *praedia* di Giulia Felice, l'auspicio di K. Weber di rimuovere per intero la parete del tablino (92) fu ascoltato e il pezzo perfettamente ricostruito (ed esposto nella Sala LXXIV) rimane testimonianza della capacità tecnica dei primi scavatori.

Riflessi sulla produzione artistica del Settecento

L'autorizzazione data da Carlo di Borbone nel 1738 perché si proseguissero gli scavi che avevano portato al rinvenimento delle prime "tonache dipinte", di frammenti di marmo e di bronzo, di sculture e iscrizioni, produsse risultati che influenzarono le arti, la cultura, la moda, l'artigianato e il gusto del mondo occidentale, fino agli inizi del XX secolo.

Alcuni particolari accessori: le figure femminili avvolte in veli leggeri gonfiati dal vento, i satiri funamboli su corde tese o su tirsi coricati, i pappagalli posti a tirare minuscoli carretti improntarono di sé gran parte della produzione artigianale soprattutto al di fuori di Napoli che, al contrario delle altre grandi capitali europee, imiterà molto lentamente le forme e i disegni degli antichi. Solo nella decorazione della porcellana si troverà immediatamente un 'programma antiquariale' per la presenza nella Real Fabbrica di Domenico Venuti, figlio e nipote di archeologi, uomo di ampia cultura, che proponeva fedeli riproduzioni delle antichità vesuviane come decoro policromo sui servizi di piatti, o a tutto tondo come bianchi *biscuit*.

Il processo di diffusione dei modelli antichi cui ispirarsi, anche per la creazione di un repertorio decorativo per portiere, mobili, ventagli, arredi e pareti delle dimore aristocratiche ebbe un'accelerata quando cominciarono ad essere pubblicati gli splendidi volumi delle *Antichità di Ercolano esposte* (1757-1792) che in accuratissime incisioni presentavano sculture in bronzo, utensili, suppellettili e pitture, accompagnate da eruditi commenti. La necessità di provvedere a quella pubblicazione diede l'impulso ad organizzare la Reale Stamperia che diviene Stamperia di Stato, dalla quale usciranno volumi straordinari per dimensioni e qualità.

Gli stessi Borbone non sfuggirono alla moda di far eseguire copie di pitture antiche per la decorazione di ambienti 'moderni' e nella stanza del Palazzo di Capodimonte, oggi nota come "Salottino pompeiano", ma in origine camera da letto di Francesco I e Maria Isabella, sposi nel 1802, fecero riprodurre quadretti scoperti a Pompei e a Ercolano.

Presso i decoratori settecenteschi ebbero particolare successo i motivi ornamentali e gli elementi accessori delle pitture di III Stile, mentre i temi rappresentati nei quadri mitologici che pure erano entrati a far parte della collezione reale, e venivano riprodotti nelle tavole delle Antichità, non influirono altrettanto sulle produzioni artistiche.

cided which pieces should be destroyed, once they had been deemed unworthy of the royal collection, so that they would not end up in the hands of foreigners or imitators. On occasion larger expanses of painting were also removed. In 1755 K. Weber undertook the first excavation of the *praedia* of Julia Felix, and wanted to remove the entire wall of the *tablinum* (92). He was given permission to do this, and the perfectly reconstructed piece (on display in room LXXIV) is a testimony to the technical capabilities of the early excavators.

Reflections on the artistic production of the 18th century

In 1738 Charles of Bourbon gave permission for excavations to take place that led to the discovery of the first 'painted plasters', fragments of marble and bronze, sculptures and inscriptions. These finds would influence the arts, culture, fashion, craft and tastes of the western world until the beginning of the 20th century.

The female figures wrapped in light wind-filled veils, acrobatic satyrs on tight ropes or on extended *thyrsi*, and parrots pulling miniature carriages marked much of the artistic production that took place outside Naples. Naples, in contrast to the other grand European capitals, was slow to imitate the forms and designs of the ancients, except in the decoration of porcelain where an 'antiquarian programme' was set up straight away. This was due to the influence of Domenico Venuti in the Royal Workshop. Venuti was the son and grandson of archaeologists and a man of great culture; he was responsible for the faithful reproduction of Vesuvian antiquities, such as the polychrome decoration on services of plates, or the white *biscuits* in full relief.

The inspiration of ancient models can also be seen in the creation of a decorative repertoire for doors, furniture, fans, fixtures and walls of aristocratic residences. The spread of the influence of these models was accelerated when the splendid volumes *Antichità di Ercolano esposte* (1757-1792) began to be published. These contained accurate engravings of bronze sculptures, utensils, furnishings and paintings, accompanied by erudite notes. The need to produce these volumes gave impetus to the creation of the Royal Press, which became the State Press, and which produced books that were extraordinary in their size and quality.

The Bourbons followed the fashion by having copies of ancient paintings made for the decoration of 'modern' rooms. One example is the room known today as the 'Pompeian Room' of the Capodimonte Palace (originally the bedroom of Frances I and Maria Isabella, married in 1802) which reproduces paintings discovered at Pompeii and Herculaneum.

The ornamental motifs and embellishments of Third Style paintings were particularly popular with 18th century decorators. In contrast the themes found in the mythological paintings that entered the royal collection, and which were reproduced in the tables of the *Antichità*, did not influence artistic output to the same extent.

Attore re, da Ercolano,
Palestra, *Insula Orientalis*
The Actor King,
from Herculaneum,
Palaestra, *Insula Orientalis*

Giocatrici di astragali,
da Ercolano
Women Playing
Knucklebones,
from Herculaneum

sala LXVII

La villa di Boscoreale

Gli affreschi della villa di Boscoreale costituiscono un esempio molto significativo dei sistemi decorativi in uso nelle residenze dei personaggi più importanti della colonia romana insediata a Pompei dopo l'80 a.C. Il complesso fu esplorato alla fine dell'Ottocento e i 71 frammenti dipinti, distaccati dagli ambienti residenziali, sono oggi dispersi tra numerosi musei e collezioni; un nucleo importante di pitture è conservato al Metropolitan Museum di New York.

L'elemento più caratteristico delle decorazioni di II Stile è la simbiosi tra architettura reale e architettura dipinta che in questa residenza si ritrovava, per esempio, nell'allineamento tra le colonne con ghirlande appese, dipinte sulla parete di fondo del peristilio, e quelle reali. Dallo stesso ambiente proviene anche il frammento con una grande tavola con i premi dei giochi atletici e il ramo di palma della vittoria.

Da una sala conviviale proviene il grande frammento in cui è rappresentato un sontuoso edificio del quale, al di là di un basso recinto chiuso da una porta con preziosi intarsi, intravediamo alcuni elementi, come le maschere tragiche, o il lampadario sormontato da una figura di Amore alato. La scena di caccia sul 'sopraporta' deriva dalla tradizione della pittura greca di età ellenistica, come è documentato dalle tombe macedoni.

Nelle decorazioni con grandiose e complesse architetture la figura umana non è quasi mai rappresentata, ma l'insieme delle figurazioni allude all'uomo, agli ambienti che edifica e in cui vive, al suo intervento sulla natura. Tanto più risalta perciò la presenza di personaggi umani nell'unico ambiente che le conteneva e che costituiva la sala di ricevimento più importante della villa. Sul fondo rosso cinabro sono dipinti a grandezza maggiore del vero alcuni personaggi. In questo tipo di rappresentazione – ben noto anche dalla celebre sala della Villa dei Misteri a Pompei – si è voluto riconoscere il significato del termine *megalographia* usato da Vitruvio.

L'identificazione delle singole figure è ancora discussa, ma l'insieme della rappresentazione allude probabilmente, in forma di allegoria, alla dinastia macedone e alla conquista dell'Asia da parte di Alessandro Magno. La donna seduta in abiti orientali che impersonerebbe l'Asia volge lo sguardo in alto verso una figura che lancia, scudo e il tipico co-

room LXVII

The Boscoreale villa

The frescoes from the Boscoreale villa provide a crucially important example of the decorative schemes employed in the houses of the most important individuals from the Roman colony established at Pompeii after 80 BC. The building complex was explored at the end of the 19th century, and the 71 painted fragments that were removed from the rooms of the house are today dispersed between a number of museums and collections; an important concentration of the painted fragments exists at the Metropolitan Museum in New York.

The most characteristic component of Second Style decoration is the interrelationship between real and painted architecture. In the Boscoreale villa we see this, for example, in the alignment between real columns and those painted with garlands on the back walls of the peristyle. From the same area comes a fragment with a large table containing prizes for athletic games and a palm branch denoting victory.

A large fragment depicting a luxurious building comes from a room for entertaining guests. Beyond the low enclosure closed by a door with precious inlays, we catch glimpses of certain motifs, such as large tragic masks or the candelabrum crowned with a figure of Amor, winged. The hunting scene on the panel over the door derives from a tradition of Hellenistic Greek painting, as seen in Macedonian tombs.

In these decorative ensembles with grand and complex architectural elements, human figures are hardly ever depicted, but the overall effect of the items depicted is to allude to man, to the rooms he builds and in which he lives, to his intervention in nature. This is emphasized all the more by the depiction of humans in the one room that includes them, which served as the most important reception room of the villa. Here some figures are painted at over life size, on a background of cinnabar red. Scholars tend to describe this type of representation as *megalographia*, a term used by Vitruvius, and which is also well-known from the famous Villa of the Mysteries at Pompeii.

The identification of the individual characters remains the subject of debate, but, as an ensemble, the painting probably alludes to the Macedonian royal family and to Alexander the Great's conquest of Asia, albeit in an allegorical manner. The seated woman, who wears eastern dress, and thus symbolizes Asia, casts her glance upward to-

Architettura con porta,
da Boscoreale, Villa
di *P. Fannius Synistor*
Architecture with door,
from Boscoreale,
Villa of *P. Fannius Synistor*

Situla, da Boscoreale,
Villa di *P. Fannius Synistor*
Silver bucket (*situla*),
from Boscoreale,
Villa of *P. Fannius Synistor*

pricapo, cinto da un diadema liscio, identificano come personificazione della Macedonia. Il vecchio appoggiato ad un bastone è caratterizzato come un filosofo dal mantello avvolto sul corpo nudo, dalla lunga barba e dal bastone da viandante. Nonostante le chiare intenzioni ritrattistiche, non siamo in grado di riconoscere in questa figura nessuno dei filosofi il cui ritratto è noto. La sua presenza qui allude all'importanza che tali educatori ebbero come 'ispiratori di comportamenti' presso la corte macedone.

Sulla parete opposta (oggi al Metropolitan Museum di New York) due gruppi regali e una figura di sacerdotessa che, usando uno scudo che ne 'materializza' l'immagine, profetizza la nascita di Alessandro Magno, completavano la figurazione e il senso di questa complessa allegoria del potere regale.

Sulla parete di fondo dell'ambiente si trovava la statua di Venere Genitrice, divinità particolarmente venerata dalla *gens Iulia* e dal suo *entourage*, ed è segno della volontà del committente romano di proporre una forma di 'assimilazione' tra la propria persona (o le proprie imprese) e la figura del grande conquistatore macedone.

wards a figure whose spear, shield and distinctive headdress, gathered in by a plain diadem, identify her as a personification of Macedonia. The elderly figure leaning on a staff is identified as a philosopher by the cloak wrapped around his otherwise nude frame, by his long beard and his traveller's staff. Despite the clear attempts at depicting him as an individual, we are unable to identify him as any philosopher whose portrait is known to us. His presence here alludes to the important role such teachers played in 'inspiring correct behaviour' at the Macedonian court.

On the opposite wall, now in the Metropolitan Museum, New York, were two groups of royal individuals and the figure of a priestess who is predicting the birth of Alexander the Great, using a shield to 'generate' an image. These complete the ensemble of figures depicted, and conclude the meaning of this complex allegory of royal power.

On the back wall of the room was a statue of Venus Genetrix, a deity particularly revered by the Julian family and its adherents. It is a symbol of the patron's desire to associate himself (and his deeds) with the figure of the great Macedonian conqueror.

sala LXIX

La pittura nel I secolo a.C.

Nel I secolo a.c. ai massimi livelli della società romana si scelse di ornare gli ambienti ricorrendo alla pittura parietale nella quale prevale il carattere decorativo.

La 'grande pittura' dei maestri greci era nota attraverso alcune opere giunte a Roma come prede di guerra, insieme a statue e ad altre opere d'arte ma fu destinata per lo più ad ambiti pubblici, mentre negli ambienti privati si rinuncia alla possibilità di esporre quadri dipinti su legno o marmo, in originale o in copia, per sottolineare la scelta di uno stile di vita orientato alla moderazione e al rifiuto del lusso abitativo.

Le articolate scenografie degli affreschi distaccati durante i primi scavi settecenteschi nell'*Insula Occidentalis* a Pompei ben rappresentano le caratteristiche della decorazione domestica agli inizi del I secolo a.C. che imita complesse architetture con costanti richiami al mondo religioso.

Motivo ricorrente delle decorazioni di quest'epoca sono le maschere teatrali, che si trovano appoggiate sulla parte superiore di tramezzi, come nei frammenti provenienti da una casa pompeiana esplorata nel 1763 e oggi riseppellita, distaccati assieme alle prue di navi viste attraverso le arcate di un arsenale, alle statue di Apollo e Diana, alla sfinge e al grifo, e ai quadretti di un epistilio con le Ninfe, Apollo e il Centauro e *Archemoros*. Le maschere teatrali si trovavano in una posizione analoga a quella della maschera di satiro che affianca il 'quadretto a sportelli' con Aci e Galatea.

Nel grande frammento proveniente dalla Casa degli Scienziati troviamo di nuovo maschere di Satiri, ma questa volta appese davanti a colonne scanalate tra le quali è teso un festone di rami di pino con una pelle di capretto.

Nell'unico pezzo staccato da un cubicolo della Villa dei Misteri è rappresentata la lotta tra i grifi – animali simbolo di Apollo il dio protettore di Ottaviano Augusto – che difendono l'oro da loro stessi estratto nel fiume *Pluton* dagli assalti degli Arimaspi, mitici personaggi con un solo occhio abitanti nelle gelide pianure della Scizia.

Edifici sacri erano spesso posti al centro delle complesse architetture della seconda fase del II Stile (40-30 a.C.) nella quale compaiono anche figure umane come devoti ed offerenti intorno a tempietti, per

room LXIX

Painting in the 1st century BC

In the 1st century BC the highest levels of Roman society chose to decorate rooms with wall paintings that were mostly decorative in character.

The 'great paintings' of Greek masters were famous. Several examples had reached Rome as the spoils of war, along with statues and other works of art; but these were usually displayed in public spaces. In private contexts the display of panels painted on wood or marble, either originals or copies, was shunned as a deliberate rejection of domestic luxury, emphasizing the choice of a moderate life.

The character of domestic decoration at the beginning of the 1st century BC is illustrated clearly by the articulated settings of the frescoes removed during the earliest 18th century excavations in the *Insula Occidentalis* of Pompeii. This decoration imitated complex architecture, and made frequent reference to the world of religion.

A recurring motif in the decoration of this period is that of the theatrical mask, which is found resting on partitions. Theatrical masks feature among the fragments recovered from a Pompeian house explored in 1763 and now reburied.

They were removed along with the prows of ships seen across the arcades of a dockyard, the statues of Apollo and Diana, the sphinx and griffin, and the small panels of an architrave that depict the Nymphs, Apollo and the Centaur, and Archemoros. The masks were located in a similar position to that of the Satyr mask that flanks the 'small panel with doors' that illustrates Acis and Galatea.

In the large fragment from the House of the Scientist, we again find Satyr masks, but this time they are hung in front of molded columns. Between the columns a festoon of pine branches with a goat skin has been hung.

The fight of the griffins is depicted in the only piece to be removed from a cubiculum of the Villa of the Mysteries. Griffins were the symbols of Apollo, the divine protector of Octavian Augustus. In this painting they defend the gold that they have taken from the river Pluto from an attack by the Arimaspi, a mythical people with only one eye who lived in the freezing plains of Scythia.

Sacred buildings were often placed at the centre of complex archi-

Prue di navi, da Pompei,
Insula Occidentalis
Prows of ships,
from Pompeii, *Insula
Occidentalis*

Polifemo e Galatea,
da Ercolano
Polyphemus and Galatea,
from Herculaneum

Tholos, da Pompei, *Insula
Occidentalis*
Tholos, from Pompeii,
Insula Occidentalis

lo più di forma circolare, o presso altari all'aperto. Caratteristici anche i particolari di nature morte, grandi oggetti votivi o animali appesi ai tramezzi che chiudono lateralmente le architetture, dalle colonne di marmi pregiati, come nel caso dei frammenti staccati dal cubicolo di una casa, esplorata in parte nel 1759 nell'*Insula Occidentalis* di Pompei e in parte riscavata nel 1970-1973, quando è stato scoperto un ambiente destinato a biblioteca, contiguo alla parte già nota.

I frammenti provenienti da una villa, posta come quella dei Papiri in posizione parallela alla costa, ed esplorata nel 1756 nell'area del Palazzo Reale di Portici, presentano colori e decorazione caratteristici della pittura della fine del I secolo a.C.

In quel periodo viene abbandonata la rigida imitazione architettonica a favore di un accresciuto effetto ornamentale presente anche negli elementi strutturali, come le colonne che si compongono di foglie embricate o si aprono come fiori. Vengono accostati, in vivace contrasto, il rosso cinabro e il verde mare, il rosso scuro e l'azzurro, il giallo e il bianco.

Con questa datazione si accorda il modo in cui è rappresentata, in uno dei quadri insolitamente presenti ai lati dell'edicola centrale, la storia di Diana e Atteone: il racconto non è distesamente narrato ma ad esso si allude attraverso la presentazione dei protagonisti tra gli elementi del paesaggio monocromo verde.

Anche nel quadro che rappresenta l'amore di Polifemo per Galatea, che proviene dalla parte alta di una parete, gli aspetti più propriamente narrativi rimangono 'in ombra' e vi accenna la scena dell'accecamento del Ciclope, presente nel quadretto monocromo in secondo piano.

tectural structure in the second phase of the Second Style (40-30 BC). Human figures such as devotees and supplicants also appear around temples (mostly circular in form) or near open-air altars.

Also common are still life details, large votive objects or animals hung from partition walls between columns of previous marble that close the side wings of architectural structures. This can be seen in the fragments removed from the cubiculum of a house explored in part in 1759 in the *Insula Occidentalis* of Pompeii. It was partially re-excavated in 1970-1973, when a room used as a library was uncovered in proximity to the part that had already been explored.

Another villa was explored in 1756 in the estate of the Royal Palace at Portici, which, like the Villa of the Papyri, ran parallel to the coast. Fragments from this villa have the characteristic colour and decoration of paintings of the end of the 1st century BC. In that period strict architectural imitation was abandoned in favour of a greater ornamental effect. This could be seen in structural elements, such as columns with leaves or columns that opened like flowers. Cinnabar red and sea green, dark red and blue, yellow and white began to be used in lively contrast. The depiction of the story of Diana and Acteon in a panel unusually located to the side of the central aedicule can be dated to this period. The story is not narrated fully, but the presence of the protagonists between the monochrome green landscape alludes to it. In the painting that illustrates the love of Polyphemis for Galatea, which comes from the upper section of a wall, narrative aspects also remain 'in shadow'. Instead the scene of the blinding of the Cyclops is highlighted, in the monochrome panel of the second level.

alla pagina seguente
Parete con paesaggi
monocromi, da Portici,
Villa presso
la Real Scuderia
on the following page
Wall with monochrome
landscape, from Portici,
Villa near
the Royal Stables

sala LXX

La Villa di Agrippa Postumo (20 a.C.-10 d.C.)

Nel 1902 fu riportata in luce a Boscotrecase una villa dalle prestigiose decorazioni dipinte che l'eruzione del 1906 avrebbe di nuovo seppellito. Gli affreschi staccati tra il 1903 e il 1905 furono venduti a diversi acquirenti, tra i quali il Metropolitan Museum di New York e il Museo di Napoli. L'alta qualità delle decorazioni ne indicò il proprietario come personaggio di elevato livello sociale; alcuni dati epigrafici (tegole con il bollo *Pupil(li) Agrip(pae)/Tub Fabio cos* e il graffito *Caesaris Augusti femina mater erat* ossia "la madre era figlia di Cesare Augusto") fecero ipotizzare che tale villa fosse giunta in eredità ad Agrippa Postumo, nipote di Augusto, nato nel 12 a.C.

Le pitture ornavano ambienti residenziali aperti su un loggiato affacciato sul mare, che si differenziavano gli uni dagli altri per il colore di fondo e il tipo di decorazione; queste intenzionali variazioni sono una testimonianza del livello qualitativo dei pittori in grado di diversificare il loro operato, padroni quindi di un vasto repertorio, e segno dunque di una committenza di alto rango.

I quadri di questa villa sono la prima documentazione in area vesuviana dell'uso, introdotto a Roma intorno al 20 a.C., di grandi quadri inseriti al centro delle pareti: essi raffigurano paesaggi di tipo sacrale, come quelli dell'ambiente a fondo rosso qui esposti, o i personaggi di un racconto mitologico (Andromeda liberata da Perseo, il ciclope Polifemo innamorato della nereide Galatea, entrambi a New York), i cui episodi sono distribuiti come le vignette di un racconto in una vasta composizione paesistica che ricorda per colori e composizione la parete proveniente da Portici (Sala LXIX).

Dell'ambiente con la decorazione più innovativa, a fondo nero sul quale si stagliano con nitidezza gli esilissimi e accurati ornamenti miniaturistici che caratterizzano la pittura sullo scorcio del I secolo a.C., sono qui presenti due frammenti ai quali si accostavano altre esili architetture completate da motivi di derivazione faraonica (presenti in maggioranza sui frammenti conservati al Metropolitan Museum), che testimoniano della moda egittizzante diffusa in quest'epoca dall'ambiente di corte. I grandi quadri dell'ambiente a fondo rosso ricordano per l'ambientazione sacrale, priva di intenti immediatamente narrativi, quelli di un cubicolo della villa romana della Farnesina.

room LXX

The Villa of Agrippa Postumus (20 BC-AD 10)

In 1902, at Boscotrecase, a villa with particularly fine painted decoration was uncovered, only to be buried once more by the eruption of 1906. The frescoes that were removed between 1903 and 1905 were sold to a range of different purchasers, among them the Metropolitan Museum in New York and the Naples Museum. The high quality of the décor suggested that the villa's owner was someone of status; epigraphic evidence (tiles stamped *Pupil(li) Agrip(pae)/Tub Fabio cos* and a graffito reading *Caesaris Augusti femina mater erat*, or "the mother was the daughter of Caesar Augustus") led to the theory that this villa had passed by inheritance to Agrippa Postumus, grandson of Augustus, born in 12 BC.

The paintings provided the decoration for residential quarters opening onto a loggia that faced out to sea. The rooms were distinguished from one another by the background colours and the decorative schemes employed in each. These deliberate variations provide evidence of the skill of the painters through the extent to which they were able to inject diversity into their work. Clearly they were masters of an extensive repertoire, and their employment is proof of their patron's commitment to workmanship of a high level. The panels from this villa provide the earliest evidence from the area around Vesuvius for the use of large panels set in the centre of walls, a scheme introduced to Rome in c. 20 BC. These depict either sacro-idyllic landscapes (for example, the red-ground room on display here) or figures from a mythological cycle (such as the depictions of Andromeda freed by Perseus, and of the cyclops Polyphemus in love with the nereid Galatea, both now in New York). The episodes of the mythological cycle are spread out like scenes in a huge pastoral composition reminiscent, in the colours and composition employed, of the wall paintings from Portici (room 69). The room with the most innovative decoration is that with the black background, against which elicate and precise miniaturist motifs, typical of the end of the 1st century BC, stand out. On display here are two fragments from that room that go together with other delicate architectural elements crowned by motifs of pharaonic origin. Such motifs are to be found on most of the fragments preserved at the Metropolitan Museum, and attest to the egyptianizing style widespread in court

37

L'acquisto di tutti i frammenti del cubicolo rosso da parte del Museo di Napoli ha permesso la ricostruzione dell'ambiente del quale si percepiscono le dimensioni spaziali e l'impatto cromatico della decorazione dominata dal rosso della zona mediana nonostante l'interruzione dei quadri.

Quadri mitologici

L'uso del fondo bianco per quadri nei quali l'elemento paesaggistico predomina su quello umano, anche se viene rappresentata la narrazione di un mito, è una caratteristica propria della produzione pittorica dei primi decenni del I secolo d.C., e conferisce una distaccata eleganza alla composizione anche nei casi in cui la scena raffigurata ha risvolti drammatici.

In una delle repliche di Eracle e Nesso, proveniente dalla Casa del Centauro che prende nome proprio dal personaggio del quadro, in un luminoso paesaggio boschivo è rappresentato il momento precedente il dramma, con Eracle che ha in braccio il piccolo Illo e Deianira che aspetta tranquilla sul carro, mentre il gesto dell'essere semiferino di aprire le braccia può essere interpretato come indicazione della profondità del fiume, giacché, non avendo rivelato le violente intenzioni nei confronti della donna, non ha ancora motivo di supplicare l'eroe.

La Casa di Giasone (20-25 d.C.)

Una casa posta nella parte centrale di Pompei (nell'*Insula* 5 della *Regio* IX) ha restituito tre interessanti cicli di quadri ben conservati. Essa prende il nome di "Casa di Giasone" dal quadro con l'arrivo dell'eroe alla corte di Pelia, o 'Casa dell'Amore fatale' dal soggetto dei tre quadri del cubicolo (e) in cui sono raffigurate storie d'amore dall'esito nefasto.

Nell'allestimento si è proposta la ricomposizione dell'*oecus* (g) e del cubicolo (e), mentre non altrettanto è stato fatto per il triclinio (f) dal quale furono prelevati solo i due quadri in migliori condizioni. I quadri, eseguiti intorno al 20-25 d.C., sono opera di un pittore che possiede un notevole patrimonio tecnico nell'uso delle velature, del tratteggio, della linea di contorno e nella stesura del colore più o meno denso.

Nell'*oecus* (g) si trovavano i quadri nei quali prevale l'elemento paesaggistico su quello narrativo e lo sfondo è caratterizzato dal diffuso biancore presente anche nei particolari architettonici che completano l'ambientazione.

Il quadro con Pan e le Ninfe rimane fino ad ora un *unicum* e probabilmente è una creazione del copista pompeiano che ha riunito soggetti diversi, ottenendo una composizione nell'insieme piacevole anche se non scevra da pecche: Pan è appoggiato, più che seduto sulla roccia ed è tutto squilibrato da un lato, il podio sul quale siede una delle ninfe

circles at this time. The large panels from the red-ground room recall those from a *cubiculum* of the Villa Farnesina in Rome in their depiction of a sacral landscape without any directly narrative character.

The fact that the Naples Museum acquired all the fragments of the red-ground *cubiculum* has made reconstruction of this room possible. This means we can appreciate the spatial proportions and stunning colours of its decorative scheme, dominated by the red colour of the central zone, despite the fact that the panels have been broken up.

Mythological panels

The use of a white background for panels in which a landscape element predominates over the human component, even when it forms part of a myth, is characteristic of painting in the first decades of the 1st century AD. It lends an air of distant elegance to the composition, even in cases where the scene has dramatic implications. In one depiction of the myth of Hercules and Nessus, from the House of the Centaur (taking its name from the character depicted in the panel), a luminous wooded landscape depicts the moment immediately preceding the dramatic crisis. Hercules is shown carrying the young Hyllus with one arm, while Deianeira waits calmly in the carriage. The gesture in which Nessus' arms are outstretched can be interpreted as an indication of the depth of the river, since he has no reason yet to beg the hero for his life. For Nessus has not yet revealed his violent intentions towards Deianeira.

The House of Jason (AD 20-25)

This house near the centre of Pompeii (Insula 5 in Region IX) provides us with three interesting groups of well-preserved panel paintings. It takes the name, "The House of Jason" from a panel that shows that hero's arrival at the court of King Pelias. It is also known as "The House of Fatal Love" from the subject matter of three panels in *cubiculum* (e), all of which depict love stories with tragic endings.

In the display here the decorative schemes of the *oecus* (g) and the *cubiculum* (e) have been reconstructed, but the same has not been possible for the *triclinium* (f), from which were removed only the two panels in the best condition. The panels here were executed round about AD 20-25, and are the work of a painter of notable technical skill in his use of glazing, hatching, outlining and in the application of colours of different density.

In the oecus (g) are panels in which landscape content is more important than narrative, and the background is characterised by a diffuse white colour that is also to be seen in the architectural details that complete the setting.

Pan and the Nymphs remains unique, and is likely to have been the creation of a Pompeian copyist who brought together diverse subject matter to produce a composition that is attractive despite some flaws:

Giasone e Pelia,
da Pompei,
Casa di Giasone
Jason and Pelias,
from Pompeii,
House of Jason

Europa sul toro,
da Pompei,
Casa di Giasone
Europa seated on the bull,
from Pompeii, House
of Jason

è reso con uno scorcio errato, e soprattutto non c'è alcun legame psicologico tra i personaggi.

Europa è salita sul dorso di un bellissimo toro, in realtà Zeus in sembianze animali, che l'ha sorpresa mentre con le compagne era intenta a cogliere fiori sulla riva del mare, e che la porterà a Creta per congiungersi con lei. Nella fanciulla che bacia l'animale si coglie la dimenticanza dell'artista che ha tralasciato di dipingerle il braccio destro.

Il terzo quadro con Eracle e Nesso raffigura un momento precedente il drammatico episodio del guado del fiume: Eracle afferra per i capelli Nesso mentre Deianira attende tranquilla sul carro con il piccolo Illo tra le braccia. Il modello cui si è ispirato il pittore pompeiano risale al greco *Artemon*, vissuto nel III secolo a.C. la cui opera era esposta a Roma nella *porticus Octaviae*.

Nei tre quadri del cubicolo (e) ricorre quasi con monotonia la stessa facciata di palazzo, con pilastri laterali e due colonne collegati da bassi muri.

Le protagoniste delle tre vicende sono eroine dalla storia intensamente tragica, travolte da una passione amorosa, sfuggita alla loro volontà e dominata da Afrodite e dall'avverso destino che indurrà Fedra al suicidio, Medea al figlicidio ed Elena ad essere causa di una guerra decennale.

Pan is perched (rather than seated) on a rock, and is unbalanced on one side, the base on which one of the nymphs is seated is depicted with false foreshortening, and, most importantly, there is no psychological connection between the characters.

Europa is mounted on the back of a particularly handsome bull that is really Zeus in the guise of an animal. He surprised her when she was planning to collect flowers on a river bank with her friends, and carried her off to Crete to couple with her. In the scene in which the girl kisses the animal, the artist apparently forgot to paint her right arm.

The third panel, with Hercules and Nessus depicts a moment before the dramatic episode involving the crossing of the river, which, because of the centaur's deceit, brings about the horrible demise of the hero. Hercules grasps Nessus, who has not yet revealed his evil intentions, by the hair, while Deianeira waits calmly in the carriage with little Hyllus in her arms. The original that inspired the Pompeian painter goes back to the 3rd century BC Greek artist *Artemon*, whose work was displayed in the *porticus Octaviae* in Rome.

In the three panels of the cubiculum (e) the same palace façade appears, producing an almost monotonous effect, depicted with pilasters along its flanks and two columns connected with low walls. The protagonists in these settings are heroines of myths that are deeply tragic, women overcome by romantic passion beyond their control, dominated by Aphrodite and by a malign destiny that leads one to commit suicide (Phaedra), another to kill her children (Medea) and the third to become the cause of a ten year war (Helen).

sala LXXI

La pittura nella prima età imperiale: gli elementi decorativi

Il clima politico creatosi a seguito dell'ascesa al potere da parte di Augusto investe anche il mondo delle figurazioni e l'introduzione di 'nuovi stili', che si differenziano in maniera molto netta da quelli dei decenni precedenti, trasmette con immediatezza l'idea di un nuovo ordine. La fine degli anni agitati delle guerre civili si traduce nella scelta di uno stile neoclassico, percepito come il linguaggio figurativo in grado di esprimere quel messaggio di "ritorno all'antico" che deve diventare la cifra della pacificazione. Ad una decorazione ricca e fastosa, che aveva il punto di maggiore forza nell'illusione tridimensionale in cui lo spazio sembrava dilatarsi ben oltre la parete di fondo della stanza, si sostituisce una decorazione bidimensionale, piatta, nella quale la parete dipinta coincide con quella reale.

Su fondi di colore omogeneo, dapprima per lo più neri e rossi, poi anche verdi, gialli, azzurri, si stagliano nettamente gli ornamenti miniaturistici del nuovo stile decorativo: leggeri tralci vegetali e sottili ghirlande prendono il posto dei pesanti festoni di fiori e frutta, mentre esili candelabri eseguiti con metallica precisione e sottili colonne decorate da collarini e bende sostituiscono le grandi colonne che avevano caratterizzato le pareti dipinte secondo la moda precedente. Eleganti motivi accessori dai colori freddi, accostati con gusto raffinato, resi senza uso di ombre, arricchiscono cornici, basi, scomparti.

Il prevalere del formalismo accademico, la nitidezza del disegno collocano i soggetti in una atmosfera irreale, confacente alle leggere composizioni epigrammatiche che spesso sono le fonti ispiratrici delle scene raffigurate; dei soggetti tragici, che nei quadri cominciano a fare la loro comparsa, viene rappresentato il momento precedente l'esplosione del dramma, quello in cui i protagonisti, ancora ignari, hanno un atteggiamento di attesa.

La pittura nella prima età imperiale: i temi dei quadri

Sul finire del I secolo a.C. all'introduzione del nuovo sistema decorativo si accompagna un'altra innovazione che caratterizzerà per i secoli successivi la decorazione delle case: l'introduzione di quadri con la narrazione di vicende dei personaggi del mito greco. Schemi iconografici tradizionali vengono rielaborati e ricomposti entro quadri che

room **LXXI**

Painting in the early imperial period. The decoration

The new political climate following Augustus' rise to power had an impact on the field of painting. 'New styles' were introduced that were clearly very different from those of the previous decades, and which immediately illustrated the idea of a new order. The end of civil war saw the introduction of a neoclassical style in painting, perceived as the illustrative language most able to express the new message – the 'return to the ways of our ancestors', the new catchphrase for peace. The previous rich and sumptuous decoration had made use of a strong three-dimensional illusion, so that space seemed to expand beyond the background of the wall. Now, a two-dimensional decoration took its place, in which the painted wall coincided with the real wall.

Miniature ornaments of the new decorative style emerge precisely onto a background of homogeneous colour (for the most part black or red, but also green, yellow or blue). Light vegetation and thin garlands take the place of heavy garlands of flowers and fruit. Delicate but accurately depicted candelabra and thin columns decorated with bands and ribbons take the place of the large columns that had characterized the painted walls of the previous style. Cornices, bases and panels are enriched with elegant secondary motifs in cold but finely applied colours, rendered without the use of shading.

The prevailing techniques and the clarity of design placed the subjects in an unreal situation, suitable for the light epigrammatic compositions that were often the inspiration for the scenes depicted. Tragic subjects began to appear in paintings, emphasizing the moment immediately preceding the explosion of the drama, when the protagonists are still unaware of what will happen and have an attitude of expectation.

Painting in the early imperial period: themes of painting

Another innovation that would characterize the decoration of houses in subsequent decades was introduced at the end of the 1st century BC, alongside the new decorative scheme: paintings that told the stories of the characters of Greek myth. Traditional illustrative schemes were reworked and rearranged within panels that were placed on monochrome backgrounds. The earliest examples of this can be found in the grand Roman house on the Palatine that is attributed to Augus-

**Architettura con satiri,
da Ercolano**
Architecture with satyrs,
from Herculaneum

**Volto di fanciulla,
da Ercolano**
Young girl's face,
from Herculaneum

si stagliano sui fondi monocromi. I primi esperimenti in questo senso sono testimoniati dalla grande casa romana sul Palatino che si attribuisce ad Augusto, la Casa detta di Livia, nella quale quadri di grande formato si adattano alle prospettive scenografiche.

I temi mitologici scelti, i modi e lo stile in cui essi sono rappresentati sembrano voler conferire agli spazi più importanti della casa – il tablino, i triclini, gli *oeci* – un'atmosfera 'eroica' e moraleggiante. Si preferiscono le gesta esemplari e 'positive' di giovani eroi del mondo greco classico (Perseo che libera Andromeda; Teseo che uccide il Minotauro e libera i fanciulli ateniesi; Oreste e Pilade) in grado di trasmettere un messaggio in sintonia con l'ideologia dell'età augustea.

In parallelo con la raffigurazione di questi eroi, alle cui vicende si legano messaggi del nuovo ordine politico, si fa strada un nuovo modo di concepirne e raffigurarne le storie che rivela una mentalità completamente diversa da quella dei modelli ispiratori. Più che semplici copie di originali greci, essi sarebbero composizioni eclettiche che, grazie allo stile classico, intendono ricreare quel clima di paludato "ritorno all'antico" proprio dell'età augustea.

Mentre nella decorazione pubblica dominano i nuovi protagonisti dell'impero e i simboli da essi adottati, nelle case si diffondono con sorprendente rapidità i quadri con gli dei e gli eroi del mito greco le cui imprese sono narrate in maniera molto aulica, che ne mette in luce gli aspetti più edificanti.

tus, the so-called House of Livia. Here large format panels were fitted into stage-like settings.

The mythological themes chosen, and the methods and the style in which they were illustrated, seem to have been intended to confer a 'heroic' and moralizing atmosphere to the most important spaces of the house (the *tablinum*, *triclinia*, and *oeci*). Particularly popular were the exemplary and 'positive' tales of the young heroes of the classical Greek world (Perseus liberating Andromeda; Theseus killing the Minotaur and freeing the Athenian youths; Orestes and Pylades). These were myths able to transmit a message harmonious with the ideology of the Augustan age.

Alongside the depiction of these heroes of the classical Greek world, in whose deeds can be read the message of the new political order, new methods of conceiving and depicting the stories were devised. These reveal a cultural conception that is completely different from that of the models that inspired them. Rather than simple copies of Greek originals, the paintings were eclectic compositions that, in their 'classical' style, sought to recreate the proud Augustan mood, the 'return to the ways of the ancestors'.

Public decoration was dominated by the new protagonists of the empire and the symbols adopted by them; in houses paintings of the gods and heroes of Greek myth, whose deeds are told in grandiose manner, spread with surprising speed and highlight the most exemplary aspects.

Amore punito, da Pompei,
Casa dell'Amore punito
Punished Love (Amor),
from Pompeii, House
of Punished Love

Ifigenia in Tauride,
da Pompei, Casa
di *L. Caecilius Iucundus*
Iphigenia in Tauris,
from Pompeii, House
of *L. Caecilius Jucundus*

sala LXXII

La Casa di Meleagro

La Casa di Meleagro, che prende nome da un quadro ancora presente nel vestibolo, con la raffigurazione del giovane cacciatore accanto ad Atalanta, fu scoperta nella prima metà dell'Ottocento, nella parte settentrionale di Pompei, nell'*Insula* 9 della *Regio* VI caratterizzata dalla presenza di altre grandi case di prestigio, come quella del Centauro e quella dei Dioscuri.

La decorazione interna era stata rinnovata negli ultimi anni di vita della città, dopo il terremoto del 62 d.C., con grande dispiego di mezzi, raggiungendo un risultato di notevole effetto dovuto anche all'ampiezza dell'impianto architettonico della casa, nel quale si distinguono un nucleo di stanze gravitante intorno all'atrio e immediatamente raggiungibile dalla strada, un altro con gli ambienti di ricevimento più importanti organizzato intorno all'ampio peristilio e raggiungibile solo attraverso percorsi "controllati" e un terzo con gli ambienti di servizio accessibili da un ingresso secondario.

Nel rinnovare la decorazione dipinta, il proprietario mirò all'effetto piuttosto che alla qualità: già nel vestibolo, insolitamente largo, ci sono due quadri (lasciati sul posto), altri tre sono stati staccati dall'atrio (Teti ed Efesto, Didone abbandonata, e la Vestizione di un liricine) e due (Ares e Afrodite, Io e Argo) dal tablino, che esibiva, nella parte alta delle pareti, una ridondante e complessa decorazione in stucco policromo. Ancora quadri nei cubicoli (tra i quali si sono conservati perché staccati: Ganimede, Coppia su *kline*, Ermafrodito e Pan) e sotto i portici del peristilio.

Le lunghe pareti di fondo di quest'ultimo presentano oggi le lacune lasciate dalla asportazione dei quadri di divinità, nei quali prevalgono i temi amorosi o legati al ciclo dionisiaco, eseguiti in una qualità molto mediocre (Lotta tra Eros e Pan, Imeneo, Arianna abbandonata, Teti su mostro marino, Apollo e Dafne): quelli rimasti in sito ci sono noti solo dalle incisioni ottocentesche.

È evidente la scelta di temi idonei a creare nella casa un'atmosfera piacevole, lontana dal clima eroico della precedente età augustea. Esemplare da questo punto di vista è il quadro con Arianna abbandonata: centro dell'attenzione non è più Teseo con le sue eroiche imprese ma la fanciulla dal bel corpo, riccamente abbigliata, che si sveglia in

room LXXII

The House of Meleager

The House of Meleager takes its name from a painting that can still be seen in the vestibule of the house and which depicts the young hunter next to Atalanta. The house was excavated in the first half of the 19th century in the northern part of Pompeii, in Insula 9 of Region VI. Other large and prestigious houses, such as the House of the Centaur and the House of the Dioscuri, are found in this Region.

The interior decoration of the house had been renewed in the last years of the city's life, after the earthquake of AD 62, and no expense had been spared. This had also had a notable impact on the spatial arrangement of the house. Three nuclei of rooms can be identified, one around the atrium and immediately accessible from the street, another of more important reception rooms arranged around the wide peristyle and accessible only through 'controlled' paths, and the third of service rooms reached from a secondary entrance.

In the redecoration of the walls the owner of the house had aimed for effect rather than quality. There were two paintings (left in situ) in the unusually wide vestibulum, another three (removed) in the atrium (Thetis and Hephaistus, Dido abandoned, and the Dressing of a lyre-player), and two in the tablinum (Ares and Aphrodite, Io and Argus). A lavish and complex decoration of polychrome stucco higher on the walls accompanied these paintings. Another four paintings were found in the cubicula (the following were preserved because they were removed: Ganymede, a Couple on a *kline*, Hermaphrodite and Pan) and in the portico of the peristyle. Today holes can be seen in the long walls of the portico where paintings of the gods were removed. The prevailing themes of the paintings related either to love or to Dionysiac rites, but their quality was mediocre (Fight between Cupid and Pan, Hymenaeus, Ariadne abandoned, Thetis on a sea monster, Apollo and Daphne). The ones that were left in situ are now known only from 19th century engravings.

The chosen themes are clearly those appropriate for the creation of a 'pleasant' atmosphere, far different from the 'heroic' fashions of the previous Augustan age. An example is the painting of Ariadne abandoned: the focus of the picture is no longer Theseus and his heroic deeds but the beautiful young girl, richly dressed, who awakens in tears

Stucco policromo
con figure femminili,
da Pompei, Casa
di Meleagro
Polychrome stucco
with female figures,
from Pompeii, House
of Meleager

Viandante, da Pompei,
Casa dei Dioscuri
Traveller, from Pompeii,
House of the Dioscuri

lacrime sulla spiaggia di Nasso, in compagnia di un amorino anch'esso piangente, mentre la personificazione della vendetta le indica in lontananza la nave in cui l'eroe è solo una sagoma tra le altre.

La Casa dei Dioscuri

Nella Casa dei Dioscuri, posta nell'*Insula* 9 della *Regio* VI di Pompei e caratterizzata da una ricca decorazione di tardo IV Stile, il visitatore era accolto sin dall'ingresso da grandi immagini di divinità che si stagliavano su di un omogeneo fondo rosso: tra queste colpisce la differenza nella qualità dell'esecuzione dei Dioscuri che si fronteggiavano sulle pareti del vestibolo. Accanto ai più comuni temi mitologici preferiti in quest'epoca (Endimione, Narciso), in questa casa compaiono soggetti più colti e di più difficile interpretazione, come i quadri con scene teatrali.

Nel tablino si stagliavano, entro una raffinata decorazione dal raro fondo azzurro, due quadri relativi ad Achille, una figura eroica che, in diverse epoche, gode, seppur con accenti diversi, di grande fortuna nella decorazione delle case romane. In un quadro è raffigurata l'ira dell'eroe che, protetto da Atena alle sue spalle, sguaina la spada contro Agamennone. In quello della parete antistante è invece il momento fatale in cui Achille deve scegliere se restare nascosto in vesti femminili presso l'amata o andare incontro al suo destino eroico e tragico seguendo Ulisse, che lo ha scoperto con il noto stratagemma del suono delle trombe di guerra che risvegliano il suo impeto guerriero. Il livello delle pitture di questa casa risulta anche dalle vignette con Menade e Satiro in volo che affiancavano i quadri mitologici.

'Ritagliato' dal contesto originario, nel quale comparivano anche altri elementi paesistici ricostruibili dal disegno di A. Ala (1847), è il frammento che raffigura una vecchia contadina con cappello di paglia sul capo che, seduta con il suo cane di fronte a una capanna, offre da bere a un viandante, e che ha acquistato vita autonoma, divenendo celeberrimo per la particolarità della scena, interpretata anche come Edipo dinanzi alla Sfinge o la consultazione di una fattucchiera.

on the beach of Naxos in the company of a cupid who is also crying. The personification of Revenge points to the ships in which the hero is only one figure among many.

The House of the Dioscuri

The House of the Dioscuri is located in Insula 9 of Region VI and is richly decorated with late Fourth Style paintings. Large depictions of these gods painted on a homogeneous red background welcomed visitors at the entrance to the house. The Dioscuri faced each other on the walls of the vestibulum, but the difference in the quality of execution of the paintings is striking. In addition to the more common mythological themes popular in this period (Endymion, Narcissus), the decoration of this house includes subjects that are more cultured and difficult to interpret, such as the panel with theatrical scenes.

Decorating the tablinum on a fine and rare blue background were two paintings relating to Achilles. Achilles was a heroic figure frequently depicted in the decoration of Roman houses in different periods, albeit with different emphases. In one painting the hero's anger is illustrated; protected by Athena, he draws his sword against Agamemnon. In contrast, the painting on the opposite wall depicts the fatal moment in which Achilles must decided whether to remain hidden in women's clothes near his beloved or to meet his heroic and tragic destiny by following Ulysses. Ulysses had used a famous trick to discover Achilles – sounding the trumpets of war to awaken Achilles' warrior passions. The high quality of paintings in this house can also be seen in the vignettes with flying Maenads and Satyrs that flank the mythological panels.

A fragment depicts an old peasant wearing a straw hat, seated before a hut, offering a drink to a traveler. It was removed from its original setting which included other landscape elements – these can be reconstructed from a drawing by A. Ala (1847). The fragment has taken on a life of its own, becoming famous for the details of the scene it depicts, which has been interpreted as Oedipus before the Sphinx or as a consultation with a witch.

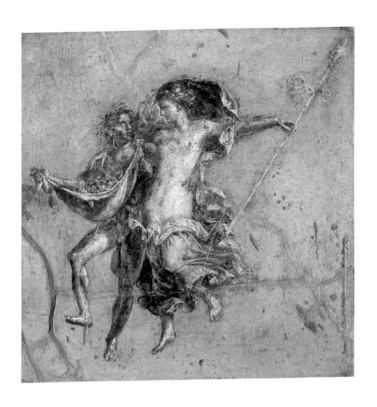

Zeus, da Pompei,
Casa dei Dioscuri
Zeus, from Pompeii,
House of the Dioscuri

Coppia in volo, da Pompei,
Casa dei Dioscuri
Couple in flight,
from Pompeii, House
of the Dioscuri

sala LXXIII

I temi mitologici

Nella seconda metà del I secolo d.C. il repertorio delle storie raffigurate in pittura si amplia notevolmente: nuovi temi compaiono accanto a quelli 'tradizionali', e i personaggi che avevano incarnato lo spirito 'eroico' dell'età augustea diventano i protagonisti di quadri che mostrano aspetti diversi delle loro vicende, con una marcata preferenza per temi narrativi o 'di evasione'.

Godono grande favore temi sconosciuti nella tradizione figurativa precedente: il mito più frequentemente rappresentato nei quadri degli ultimi decenni della vita dei centri vesuviani è quello di Narciso. La storia del giovane condannato dagli dei a innamorarsi della propria immagine riflessa nell'acqua e a perire nel tentativo di raggiungerla è presente a Pompei in più di 40 esemplari, concentrati in un arco di tempo limitato. È spesso associato ad altri 'temi di amore', come la figura femminile che pesca in compagnia di un gruppo di amorini (la cd. 'pescatrice'), o Endimione, il giovane cacciatore amato da Selene.

Storie come quelle di Teseo o Perseo subiscono un notevole cambiamento iconografico: al Teseo trionfatore o 'rifondatore' si sostituisce il momento molto più 'intimo' e privo di connotazioni eroiche, in cui Arianna, da lui abbandonata, si risveglia in lacrime sulla spiaggia di Nasso mentre la nave su cui egli è fuggito si allontana all'orizzonte. Anche la storia di Perseo e Andromeda viene presentata sotto un altro aspetto: al gesto cavalleresco di Perseo che aiuta la giovanetta a liberarsi dalle catene si sostituisce la coppia di amanti seduti e abbracciati, riconoscibili – tra le tante coppie della pittura della fine del I secolo d.C. tra le quali c'è anche quella divina di Marte e Venere – solo grazie all'attributo della testa di Medusa che l'eroe solleva. Si è ora interessati a rappresentare genericamente una storia piuttosto che a rappresentare 'le imprese' di determinati miti.

Si tende ad abbandonare le vicende il cui contenuto tragico e altamente morale – la punizione inflitta dagli dei a colui che si ribella ai limiti umani – non rendeva possibile una lettura diversa e più distesa, e così la storia di Icaro che precipita al suolo perché ha volato troppo vicino al sole, che era stata il soggetto di alcuni dei quadri più belli conservati a Pompei, nell'ultima fase della vita della città è presente in due soli esempi. Continua la diffusione di quadri con episodi legati alla

room LXXIII

Mythological themes

In the second half of the 1st century AD the repertoire of stories depicted in paintings grew notably. New themes appeared alongside 'traditional' ones, and the characters who had embodied the 'heroic' spirit of the Augustan age became the protagonists in paintings that revealed different aspects of their stories. There was a marked preference for narrative or 'escapist' themes.

Themes unknown in the previous figurative tradition now enjoyed great popularity: the most frequently depicted myth in the paintings of the last decades of life of the Vesuvian cities is that of Narcissus. The story of the young man condemned by the gods to fall in love with his own image in the water and perish in the attempt to reach it is seen at Pompeii more than 40 times, and all painted within a short chronological period. Narcissus is often associated with other 'love themes', such as the female figure who fishes in the company of a group of cupids (the so-called 'fishing-woman'), or Endymion, the young hunter beloved of Selene.

Stories such as that of Theseus or Perseus underwent notable iconographic changes: in the place of the 'triumphant' or 'rebuilder' Theseus were substituted more 'intimate' moments, without heroic connotations. Thus Ariadne, abandoned by Theseus, awakens in tears on the beach of Naxos while the ship on which he flees disappears into the distance. The story of Perseus and Andromeda is also presented differently: the noble gesture of Perseus who helps to free the young girl from chains is replaced by the pair of seated and embracing lovers who are recognizable (from among the many couples in the paintings of the end of the 1st century AD, such as the divine couple Mars and Venus) only because the hero hold up the head of Medusa. Instead of the deeds or events of particular myths, stories are now being depicted in more general terms.

There was a tendency to abandon the stories whose tragic end or high moral content – the punishment inflicted by the gods to whomever rebelled against human limits – did not allow a different or expanded interpretation. Thus the story of Icarus who fell to the earth because he flew too close to the sun, the subject of several beautiful paintings at Pompeii, is only found twice in the last phase of the city's life. But the number of paintings relating to episodes connected with the Trojan

Achille e Briseide,
da Pompei,
Casa del Poeta tragico
Achilles and Briseis,
from Pompeii,
House of the Tragic Poet

Sacrificio di Ifigenia, da
Pompei,
Casa del Poeta tragico
Sacrifice of Iphigenia,
from Pompeii,
House of the Tragic Poet

guerra di Troia: dagli antefatti, come il Giudizio di Paride, alla preparazione, come il Sacrificio di Ifigenia, il ritrovamento di Achille a Sciro, la forgiatura delle armi dell'eroe e la consegna delle stesse a Teti, fino all'introduzione del cavallo nelle mura di Troia nonostante i funesti presagi di Laocoonte e di Cassandra, fino alla notte dell'incendio; tutte dolorose indispensabili premesse perché Enea giungendo nel Lazio desse poi origine a Roma.

La narrazione ora abbandona i personaggi secondari per concentrarsi sui soli protagonisti, aumentando in tal modo l'effetto drammatico. Scompaiono le personificazioni di luogo o gli 'astanti stupiti', che caratterizzavano i quadri della prima età imperiale e che, volgendo a volte lo sguardo verso l'osservatore, facevano da ponte tra il dentro e il fuori del quadro, o le vaste ambientazioni paesistiche nelle quali la storia narrata sembra costituire il pretesto per un'ambientazione fantastica, che avevano rappresentato una importante caratteristica dei quadri dei decenni precedenti.

La posizione del quadro nell'ambiente poteva influenzarne la composizione, che teneva conto anche del modo in cui l'osservatore ne percepiva la visione. I tre quadri dalla Casa di Gavio Rufo (VII 2, 16) sono esposti nella sequenza originale. Si può così constatare come lo sguardo si indirizzi verso il quadro della parete di fondo con rappresentazione di divinità della luce, seguendo i gesti dei personaggi dei quadri delle pareti laterali: Teseo che riceve l'omaggio dei giovani ateniesi e il Centauro Euritione che, intervenendo alle sue nozze, bacia la mano di Piritoo. I due quadri opposti sono legati da analogie implicite: i due protagonisti sono amici e avranno la meglio su esseri selvaggi; ed esplicite: in entrambi viene reso omaggio attraverso il bacio della mano; alla figura ritta del protagonista si affiancano gli altri personaggi su direttrici oblique: in uno è rappresentata la premessa del dramma, nell'altro la conclusione.

Nell'atrio della Casa del Poeta tragico (VI 8, 3) una dimora di medio livello, che conserva ancora un interessante apparato decorativo di mosaici e affreschi, si trovavano grandi quadri classicistici, di impianto aulico, con temi legati alla Guerra di Troia e alle principali divinità (Zeus, Hera, Afrodite e Poseidon), le cui collocazioni sono note da tempere di F. Morelli eseguite prima del distacco.

Nel tablino si trovavano il quadro con la storia di Alcesti, la regina che accetta di morire in luogo del marito e che Eracle riporterà dagli Inferi e, nel pavimento, il mosaico da cui la casa prese nome. Nel peristilio c'era il quadro con la scena del sacrificio di Ifigenia, nel quale a personaggi derivati da modelli greci, come l'indovino Calcante, Agamennone che si copre gli occhi inorridito dall'atto che ha dovuto compiere, o il gruppo di Ulisse e Diomede che trascinano la fanciulla, si aggiungono innovazioni dell'artista pompeiano quali la cerva e Diana tra la nuvole.

War grew: the events leading up to it, such as the Judgment of Paris, the preparation for it, such as the Sacrifice of Iphigenia, the Discovery of Achilles at Skyros, the Forging of the Hero's Weapons and their Delivery to Thetis, up to the entrance of the wooden horse into the walls of Troy, and including the tragic prophecies of Laocoon and Cassandra, until the night of the fire. These were all painful but necessary events that paved the way for Aeneas to reach Latium in preparation for the foundation of Rome.

Narration now abandons secondary characters and focuses on the main protagonists, thus increasing the dramatic effect. The background figures and amazed spectators who characterized the paintings of the early imperial period disappear. By turning their gaze on the observer these figures had created a 'bridge' between the interior and exterior of the paintings. The vast landscapes within which stories had taken place that had created a pretext for fantastic settings and which were an important characteristic of the paintings of the previous decades also disappear.

The position of the paintings within the room could influence composition and also affected the way in which the observer perceived the picture. The three paintings from the House of Gavius Rufus (VII 2.16) are displayed in their original sequence. Thus one can determine how the gaze was directed towards the painting of the rear wall which depicted gods, after first seeing the actions of the characters in the paintings of the side walls – Theseus receiving homage from the Athenian youths and the Centaur Eurython kissing the hand of Pirithous at his wedding. The two paintings are connected by implicit and explicit analogy: implicit because the two main characters are friends and have bettered wild beings, and explicit because in both paintings homage is paid by kissing the hand. The upright figure of the main character is flanked by other more oblique figures. One painting depicts the beginning of the drama, the other its conclusion.

The House of the Tragic Poet (VI 8, 3) is a house of middle range that had an interesting decorative assemblage of mosaics and frescos. Large classical paintings in fine settings were found in the atrium. Their themes related to the Trojan War and to the most important gods and goddesses (Zeus, Hera, Aphrodite and Poseidon). Before they were removed from the walls their positions were recorded in tempera paintings by F. Morelli. The painting that depicts the story of Alcestes, the queen who accepts death in place of her husband and who is brought back from the underworld by Hercules, was found in the tablinum, along with mosaic that gives the house its name. The painting illustrating the sacrifice of Iphigenia comes from the peristyle. In this painting local Pompeian features (such as the stag and Diana in the clouds) can be seen alongside characters derived from Greek models (the fortune-teller Calchas, Agamemnon covering his eyes in horror at the act about to take place, and the group consisting of Ulysses and Diomedes who carry the girl away).

L'officina di Efesto,
da Pompei,
Casa delle Quadrighe
Hephaistos' workshop,
from Pompeii, House
of the Chariots

Teseo liberatore,
da Pompei,
Casa di *Gavius Rufus*
Theseus the liberator,
from Pompeii, House
of Gavius Rufus

sala LXXIV

Per gli antichi i soggetti rappresentati nelle nature morte rientravano nella categoria delle cose di 'poco conto', se non addirittura spregevoli, e nella pittura romana compaiono tra la fine del II e gli inizi del I secolo a.C., con il cosiddetto II Stile nei grandi vasi metallici, cesti con frutta, maschere, o cacciagione e volatili. Nei quadretti a sportelli e in quadri di dimensioni più o meno grandi, sarà raffigurata tutta una gamma di soggetti collegati dal concetto di *utilitas*: animali commestibili, vivi o morti; ortaggi e frutta; formaggi, pane, ricotta, uova; oggetti per il banchetto e per la dispensa; strumenti per il sacrificio; denaro e attrezzi per scrivere. Molti di questi soggetti sono i doni che il padrone di casa faceva trovare nella stanza dell'ospite e molti dei quadri potrebbero essere commentati con gli epigrammi di Marziale (nelle raccolte *Xenia* o *Apophoreta*) composti come brevi biglietti di accompagnamento ai doni che ci si scambiava in occasione dei *Saturnalia*, le festività di fine anno.

Esemplare in tal senso è la decorazione del tablino (92) dei *praedia* di Giulia Felice, nella quale è presente un alto fregio suddiviso in quadri di nature morte, che con i particolari della fruttiera di vetro e dei recipienti d'argento rientrano tra i pezzi più famosi della raccolta del Museo.

Le nature morte trovarono posto anche nella parte centrale delle pareti di sale da pranzo o di saloni di intrattenimento come l'*oecus* della Casa dei Cervi di Ercolano dal quale provengono dieci quadri, staccati nel 1748. In essi sono presenti soggetti che richiamano le abitudini delle festività invernali, frutta, pollame, commestibili vari e vasellame, eseguiti con grande perizia tecnica. Si trovano ad esempio "il dattero dorato che si offriva alle calende di Gennaio" e che poteva essere accompagnato da un modesto spicciolo, sostituito nella nostra pittura da un aureo di Claudio e da una moneta d'argento; i fichi secchi che nella tradizione mediterranea ancora oggi si consumano in inverno.

In una posizione accessoria della parete, data la forma leggermente arcuata della cornice superiore, si trovavano il quadro con polli e cestini di ricotte o legumi e quello con il coniglio presso un gruppo di fichi nei quali torna il motivo epigrammatico degli animali ancora vivi ma prossimi a diventare cibi o offerte. La sacralità del contesto nel

room LXXIV

Still lives

The subjects depicted in still lives were of little account in the eyes of the ancients, and might even have been considered distasteful. In Roman painting of the so-called Second Style, between the end of the 2nd century BC and the beginning of the 1st century AD, these subjects consisted of large metal vessels, baskets with fruit, masks, or game and birds. A whole range of subjects related to the concept of *utilitas* were depicted in panel paintings and in paintings of large and small dimensions: edible animals, alive or dead; vegetables and fruit; cheeses, bread, soft cheese, eggs; banqueting and serving objects; sacrificial objects; money and writing implements. Many were the gifts that the patron of the house would leave in guest rooms, and many of the paintings could be captioned with Martial's epigrams (from the *Xenia* or *Apophoreta* collections) which are composed as brief accompanying notes to gifts that were exchanged at *Saturnalia*, the end-of-year festival.

The decoration of the tablinum (92) of the *praedia* of Julia Felix is a good example of this. Here a high frieze was subdivided into still life panels, with details of glass fruit bowls and silver vessels. This is one of the most famous pieces in the Museum's collection.

Still lives could also be located in the central panels of walls in dining rooms, or reception rooms, such as the *oecus* of the House of the Stags at Herculaneum. Ten paintings were found in this room and removed in 1748. They depict subjects that refer to the customs of winter festivals, fruit, poultry, various edible foods and vessels, all painted with great technical skill. One, for example, is 'the gilded date that is offered up on the Kalends of January'. This would have been accompanied by a modest coin, but in our picture the modest coin has been exchanged for an aureus of Claudian date and a silver coin. Also found are the dried figs that are still traditionally eaten today in the Mediterranean.

The paintings with chickens and baskets of soft cheese or pulses and the rabbit next to group of figs were found in a secondary position on the wall because of the slightly arched shape of the upper cornice. These paintings continue the epigrammatic theme of animals that are still alive but which will shortly become food or offerings. The sacred nature of the context in which the scene takes place is more explicit in another fragment from Herculaneum. This was perhaps located in a

Quadri con nature morte,
da Ercolano, Casa
dei Cervi
Panels with still lives,
from Herculaneum,
House of the Stags

Natura morta, particolare,
da Pompei, *Praedia
di Iulia Felix*
Still life, detail,
from Pompeii,
Praedia di Iulia Felix

quale si svolge la scena è esplicitata in un altro frammento da Ercolano nel quale un gallo e una gallina beccano mele e datteri dinanzi a due cippi avvolti da bende sacre.

Altri temi molto apprezzati erano il vivaio di pesci ricorrente in lunghi fregi o pesci e molluschi che fanno bella mostra di sé in ceste, sul banco di esposizione, o in tortiere che mostrano il loro contenuto disposto con bel garbo e pronto al consumo.

Gli elementi scrittori riprodotti in pittura hanno tramandato versi, epigrammi celebri o il nome di proprietari di case, come quello di Marco Lucrezio che si legge sul rotolo avvolto e legato, presentato assieme a un dittico aperto, un raschietto e un calamaio in un simile quadretto. Gli stessi oggetti sono presenti in un altro quadretto, appartenente al gruppo delle iscrizioni in quanto sul rotolo aperto si legge una versione leggermente modificata di un celebre epigramma amoroso che recitava "*Quisquis amat valeat. Pereat qui parcit amari*" (Stia bene chiunque ama; e chi si sottrae all'amore vada alla malora).

I paesaggi

La scoperta delle pitture delle tombe reali macedoni ha dimostrato che la rappresentazione di paesaggi era un portato del linguaggio artistico ellenistico dal quale ha attinto anche la produzione romana.

Le pitture con soggetti mitologici, nelle quali il paesaggio predomina sui personaggi stessi, note già in decorazioni di II Stile, rivelano una provata maestria tecnica nella resa degli sfondi, degli sfumati, degli elementi in lontananza. Agli inizi del I secolo d.C. scene campestri, pastorali, marine vengono eseguite a rapido tratto, quasi monocromo, su fondo giallo, bianco o azzurro verdastro. Si tratta di rappresentazioni di luoghi irreali, rese con vivacità ed immediatezza sì da dare l'illusione che il pittore abbia fissato con poche, esperte pennellate l'immagine reale della riva di un fiume frequentata da pescatori, viandanti, donne animata dall'andirivieni di animali da soma tra capanne di paglia, o dal composto avvicinamento di devoti a tempietti e statue di divinità.

Il genere perdurerà negli anni, attraverso il mutare del gusto e della tecnica e ancora nelle ultime espressioni della pittura dei centri vesuviani si incontrano ampie vedute paesistiche.

Con l'affermazione del quadro, con il III e il IV Stile, il paesaggio è lo sfondo delle scene mitologiche che si svolgono all'aperto: l'incontro tra Perseo e Andromeda avviene sulla riva del mare; Arianna si risveglia sulla spiaggia di Nasso mentre la nave di Teseo si allontana; Eracle compie le sue fatiche fra dune sabbiose per cacciare il leone nemeo, o nel giardino delle Esperidi, o sulle sponde di fiumi; mentre Paride esprimerà il suo giudizio in un tranquillo ambiente pastorale. Nei primi decenni dell'età imperiale gli elementi paesaggistici pur rimanendo un completamento del quadro, prevarranno per dimensioni su quelli umani.

lunette and depicts a cock and hen pecking apples and dates in front of two *cippi* wrapped in sacred ribbons.

Other popular themes were the depictions of fish across long friezes, or of fish and shell-fish on display in baskets, on tables, or in pans that show off neatly their contents, ready to be eaten.

Objects related to writing that are illustrated in paintings have given us verses, famous epigrams or the names of owners of the houses. An example is the name of Marcus Lucretius which can be read on a bound roll of papyrus. This is depicted alongside an open diptych, a scraper and an ink-pot. The same objects can be seen in another painting which belongs to this same group since a slightly modified version of a famous love epigram can be read on the open roll: *Quisquis amat valeat. Pereat qui parcit amari"* (Whoever loves let him flourish; let him perish who refrains from being loved.)

Landscapes

The discovery of the paintings in the royal tombs of Macedonia has revealed that the depiction of landscapes was a component of artistic expression in the Hellenistic period. Roman production drew upon these Hellenistic models.

Paintings with mythological subjects, in which the landscape dominates the people, can be found in Second Style decoration. They use tried and tested technical skill to render the backdrops, the shading, and the elements in the distance. From the beginning of the 1st century AD, rural, pastoral and sea scenes were made with rapid, almost monochrome, strokes on backgrounds that were predominantly yellow, white or greenish-blue. These are representations of imaginary places, depicted with liveliness and immediacy to give the impression that the painter had 'fixed' a real picture with a few expert touches: the banks of a river peopled with fishermen, travelers and women, animated by the comings and goings of beasts of burden between straw huts, or by the orderly approach of devotees to temples or statue of divinities.

The genre continued through the years, weathering the changes of fashion and technique, and many landscape views can still be found in the final expressions of painting in the Vesuvian centres.

Painted pictures became popular with the Third and Fourth Styles, and landscape came to form the background to mythological scenes that took place in the open air: the meeting between Perseus and Andromeda occurs on the sea shore; Ariadne awakens on the beach of Naxos while Theseus' ship moves away in the distance; Hercules completes his tasks in the sand dunes (hunting the Nemean Lion), or in the Garden of Hesperides, or again on the banks of rivers; Paris gives his judgment in a quiet, pastoral scene. In the first decades of the imperial period landscape elements completed a painting, and were of larger dimensions than the people themselves.

Quando nel corso del I secolo d.C. l'articolazione della parete ospiterà in punti diversi quadri, quadretti e medaglioni, temi favoriti per essi, accanto alle nature morte, saranno le rappresentazioni di paesaggio proposte anche come "vignette" ossia senza alcuna cornice. Ville terrestri e marittime, tempietti immaginati in campagna o su un'isola, paesaggi, raramente montani, più frequentemente fluviali e marini, con vedute di porti dall'alto, si troveranno nei pannelli che affiancano il quadro centrale, sospesi a pilastri e candelabri, sopra tramezzi e negli zoccoli, fin sulle cornici della zona superiore, appena visibili dal basso. In essi domina un'atmosfera di perenne primavera o estate, con la vegetazione in pieno rigoglio, il cielo uniformemente azzurro, il mare sempre calmo, appena mosso, dal movimento dei remi, anche nel caso delle battaglie navali. Le ville a più piani, con portici colonnati, risultano più articolate di quelle reali; i tempietti sono per lo più ispirati al mondo nilotico, e così le rappresentazioni di stagni in cui sguazzano anatre e fioriscono nannuferi sono importate dal repertorio alessandrino. Le vedute con statue su colonne, o portali ornati da sculture riconducibili a prototipi noti, potrebbero essere state ispirate da situazioni reali, ma limitati rimangono i tentativi di individuazione di luoghi reali, e nella stragrande maggioranza si deve continuare a parlare di prodotti della fantasia dei pittori chiamati comunque ad introdurre, con il loro mestiere, nelle dimore lussuose o modeste che fossero, squarci su di un mondo possibile, in cui anche le contingenze della quotidianità acquistano toni di rarefatta compiutezza formale.

Avvicinabili ai paesaggi idillico-sacrali sono quelli con i pigmei, che agiscono sempre sulle rive di corsi d'acqua, dinanzi ad edifici di ispirazione egiziana, o più spesso, dinanzi a capanne di legno e strame, in spiazzi recintati da incannucciate; le scene propongono momenti di vita quotidiana o situazioni parodistiche, spesso ispirate a miti o leggende ben noti, che toccano il grottesco perché interpretati dagli sgraziati nani.

In the course of the 1st century AD different paintings, panels and medallions came to be arranged on the same wall, and one of the most popular themes to be depicted in them, alongside still lives, were landscape pictures. These might also be the subject of 'vignettes' (paintings without frames). Rural and maritime villas, imaginary temples in the countryside or on an island, mountains (more rarely), rivers (more commonly) and the sea (with harbor views from above) are all found in the panels that flank the central painting, held up by pilasters and candelabra, above partitions and in the socles, even on the cornices of the upper zones, barely visible from below.

An atmosphere of perennial spring or summer dominates these landscapes. The vegetation is lush, the sky uniformly blue, the sea always calm and hardly disturbed by the movement of oars − even those of battle ships. Villas over many levels, with colonnaded porticoes, are more impressive than real ones; the temples mostly derive from Nilotic models, and thus the depiction of lakes in which ducks splash about and water-lilies flower belongs to a repertoire of Alexandrine models. The scenes with statues on columns, or doors decorated with sculpture that derive from known prototypes, could have been inspired by real scenes. But attempts to depict real places are limited, and the great majority of landscapes are products of the imagination of the artists. They were required to use their skills to introduce glimpses of a different world into luxury and modest homes; in this world even everyday circumstances took on rarefied and formal tones.

Landscapes that depict pygmies are similar to these sacro-idyllic ones. Pygmies are always found by water, in front of buildings of Egyptian design, or, more frequently, in front of wooden and straw huts, in empty spaces encircled by wattle and daub fences; the scenes depict moments of everyday life or caricatures, often deriving from well known myths or legends, that become grotesque because they are performed by awkward dwarfs.

Paesaggio sacro,
da Pompei
Sacred landscape,
from Pompeii

Paesaggio con animali
al pascolo, da Pompei
Landscape with grazing
animals, from Pompeii

sala LXXV

In ogni casa, agli angoli delle strade, nelle botteghe, negli edifici pubblici le immagini dei numi tutelari vegliavano sulla vita dei cittadini, guidavano le loro azioni, ne indirizzavano la buona riuscita, ottenendo in cambio modeste offerte di frutta, uova, latte.

I Lari, figli di Mercurio e della Ninfa Lara, non erano assimilabili alle divinità maggiori ma in ambito domestico erano strettamente collegati alla casa tanto da essere sinonimo della stessa e del focolare. Hanno aspetto giovanile, indossano una corta tunica e alti calzari, sono costantemente rappresentati, anche nelle statuette in argilla o in metallo, in atto di danzare versando dal corno (*rhyton*) sollevato uno zampillo di vino in una patera o in un secchiello.

Ad essi si affianca il Genio in quanto accompagnatore, protettore, principio interiore dell'uomo durante tutta la sua vita, che si presenta con il capo velato, accanto ad un altare sul quale porge l'offerta.

Elemento ricorrente è inoltre il serpente, o più spesso una coppia di serpenti *agathodaimones*, ossia benefici portatori di opulenza, per i quali vengono deposte offerte di frutta, pigne e uova.

Il luogo preferito per il culto è il focolare, ma i larari erano realizzati in edicole poste in un angolo dell'atrio e molto più frequentemente erano dipinti in ambienti secondari della casa, come cucine e locali di servizio e li si trovava sovente in *cauponae*, *thermopolia*, botteghe, officine.

L'efficacia delle pitture di larario, soggette in molti casi a rifacimenti, è nella loro immediatezza, nella spontaneità della tecnica utilizzata che non toglie significato al messaggio, di profondo sentimento religioso.

Le testimonianze pompeiane documentano anche quanto diffuso fosse il culto dei *compita*, ossia degli incroci, che vedeva onorati, accanto ai Lari, Diana, Cerere, Mercurio ed Ercole e quanto frequente fosse la presenza, sulle facciate, di immagini di divinità.

room LXXV

Lararia

Images of the numi tutelari kept watch over the lives of citizens in their houses, on street corners, in shops and in public buildings, guiding their actions, and bringing them success. In modest exchange, they were given offerings of fruit, eggs and milk.

The Lares, sons of Mercury and the nymph Lara, were not major deities – but within the domestic environment they were so closely related to the house that they became synonymous with it and with the hearth. They are depicted as young boys, in short tunics and high shoes, always – even in clay and metal statues – in the act of dancing and pouring wine from an upheld drinking horn (*rhyton*) into a bowl or bucket. The Genius stands next to them, as the escort, protector and guiding spirit of the man throughout his life. He is depicted with a winged hat, next to an altar upon which rests the offering.

Another recurring element is the snake, or more often a pair of serpentine *agathodaimones*. These were the beneficent bringers of abundance, to whom were given offerings of fruit, pinecones and eggs.

The main cult location was the hearth, but lararia were also located in aedicules placed in the corner of the atrium or, more frequently, painted in secondary rooms of the house, such as kitchens and service areas. They were also found in *cauponae, thermopolia,* shops and workshops.

Lararium paintings were frequently renewed. Their effectiveness lay in their immediacy, in the spontaneity of the technique used that did not detract from the significance of the message, which was of profound religious sentiment.

The evidence from Pompeii also reveals that the cult of the *compitalia,* or rather of the crossroads, was widespread. Images of the gods were frequently found on facades, and Diana, Ceres, Mercury and Hercules came to be honoured alongside the Lares.

Bacco e il Vesuvio,
da Pompei,
Casa del Centenario
Bacchus and Vesuvius,
from Pompeii, House
of the Centenary

Lari e serpenti, da Pompei
Lares and serpents,
from Pompeii

sala LXXVII

Per la prima volta dalla loro scoperta, avvenuta in due riprese tra il 1757-1762 e il 1777-1778 le pitture della Villa cd. di Arianna a Stabia sono esposte nella stessa sala e riunite, per quanto possibile, in base all'ambiente di provenienza. Esse furono staccate dalle pareti dei numerosi ambienti di quel complesso residenziale (parzialmente riscavato dal 1950, occasione in cui le si attribuì il nome dal quadro scoperto nel triclinio 3, con l'Epifania di Dioniso a Nasso) che si distende sul crinale della collina di Varano in posizione straordinariamente panoramica, e che degrada verso valle con un sistema di sei ordini di rampe coperte.

La varietà dei colori di fondo, la scelta dei soggetti, la cura nell'esecuzione dei particolari degli affreschi sono indizi di una agiata committenza che poté avvalersi di un'attenta manodopera nelle diverse occasioni in cui, ampliando la villa, verso est e verso ovest ne ammodernò anche la decorazione che si può ricondurre ad almeno tre momenti tra il 10 e il 69 d.C.: uno tardo augusteo-tiberiano (cui appartengono le pitture del nucleo originario dall'ingresso W13 all'atrio 24), un secondo claudio (al quale risalgono gli ambienti 32-50, a est dell'atrio) e uno neroniano (cui ricondurre i grandi ambienti di soggiorno 1-21 a ovest dell'atrio).

Alla raffinata decorazione di III Stile appartengono pezzi famosissimi che, come la "Venditrice di amorini" (esposta nella Sala LXVIII), hanno lungamente goduto di grande successo, tanto da essere replicati più e più volte, fin dall'epoca della scoperta, in materiali diversi come soggetto di quadri, sculture, porcellane, decorazioni di arredi; o come le quattro vignette con figure femminili le cosiddette Flora, Medea, Leda e Diana o Penelope (al centro della sala) di raffinato ma freddo impianto classicheggiante.

room LXXVII

The Villa Ariadne

For the first time since their discovery (in two phases, from 1757-62 and then from 1777-78), the paintings from the so-called Villa Ariadne at Stabia are displayed together in the same room and arranged, as far as possible, according to the rooms where they were found. They were removed from the walls of a number of different rooms in the residential complex that stretches along the crest of the Varano hill. The location provides a spectacular panorama, and the villa ranges down the slope towards the low ground with a system of six levels of covered ramps. It was partially re-excavated in 1950, when it received the name by which it is now known, from a panel painting discovered in *triclinium* 3, depicting Dionysus' discovery of Ariadne on Naxos.

The range of background colours, the choice of subject-matter and the care with which details are rendered suggest that this was an important commission, a notion strengthened by the care with which the painted decoration was modernized when the villa was extended towards the east and the west. This modernization took place on at least three occasions between AD 10 and AD 69. One was late Augustan-Tiberian (the paintings in the original core of the villa, from the lobby W13 to the atrium 24 relate to this period); another was Claudian (rooms 32-50, east of the atrium, belong to this phase); and a third Neronian (to which period pertain the large living rooms 1-21, west of the atrium).

There are some particularly famous examples of refined Third Style painting, including the 'Cupid Vendor' (on display in room LXVIII). These have enjoyed great success for a long time, having been reproduced repeatedly since their discovery, in a range of media, as panel paintings, sculptures, porcelain vessels, and decorative elements on furniture. Other famous paintings include the four vignettes depicting female figures, the so-called Flora, Medea, Leda and Diana (or Penelope – in the centre of the room). These are of a classicizing style that is refined but cold.

83

84

Discobolo, da *Stabiae*,
Villa di Arianna
Discus thrower,
from *Stabiae*,
Villa Ariadne

Flora, da *Stabiae*,
Villa di Arianna
Flora, from *Stabiae*,
Villa Ariadne

sala LXXVII

La pittura popolare

Rientrano nella definizione di "pittura popolare" le insegne di bottega, le decorazioni di taverne e lupanari, le pitture di lararario, le rappresentazioni di attività lavorative, le raffigurazioni di eventi di vita reale, resi attraverso l'uso di una tavolozza sobria e di una tecnica veloce, per lo più poco attenta ai problemi di prospettiva e di spazialità, a favore di una più immediata efficacia e comunicatività, in piena autonomia da modelli ellenistici. In molti casi si tratta anche di una pittura destinata a breve durata perché sostituita, a seconda delle necessità, da nuove, più aggiornate creazioni. Ma gli artigiani anziché rivelare incapacità compositiva mostrano una notevole facilità espressiva nell'uso delle linee di contorno con le quali creano anche ombre e volumi.

Gli scavi condotti a Pompei lungo via dell'Abbondanza agli inizi del XX secolo, dopo quindi il formarsi della collezione degli affreschi del Museo, hanno restituito numerosi esempi di insegne di bottega, con rappresentazioni di mestieri e di divinità che sono stati lasciati sul posto. Ma non tutte le pitture di carattere popolare furono eseguite all'esterno degli edifici e, a parte quelle dei Larari, posti negli atrii o nelle cucine, che per il loro carattere costituiscono un capitolo a sé, si ricordano le pitture da osteria. In un linguaggio immediato che cade a volte in espressioni volgari negli atteggiamenti dei personaggi e nelle situazioni rappresentate, viene resa con efficacia l'atmosfera da taverna, spesso prossima alla rissa; l'aggiunta delle frasi pronunciate dagli avventori e dall'oste, veri e propri fumetti in latino popolaresco, ne aumentano la modernissima carica comunicativa.

Esempi di pittura popolare sono stati trovati anche in ambienti di prestigio come l'atrio dei *Praedia* di Giulia Felice a Pompei, nel quale un lungo fregio presentava scene di vendita, colloqui e attività varie svolte sotto portici colonnati, prospicienti una piazza con monumenti equestri da identificare con un generico Foro, non specificamente quello di Pompei.

Per un interno era stato eseguito anche il celebre affresco con la rappresentazione della "Rissa tra pompeiani e nucerini" posto tra pannelli con scene di combattimenti tra gladiatori, che richiamavano ulteriormente il contesto in cui, nel 59 d.C., per futili motivi erano scoppiati gli scontri tra gli spettatori presenti ad un *ludus* offerto da *Livineius Regulus*. I luoghi e il monumento sono stati rappresentati in maniera così realistica

room LXXVII

Popular painting

The shop signs, decoration of bars and brothels, lararium paintings, representations of work activities, and depictions of real life all belong to the category of 'Popular Painting'. They are all rendered with the use of a sober palette and quick technique, with little attention given to prospective or spatial arrangement, since they are more concerned to make an immediate impression and communicate a particular message. This makes them completely independent of Hellenistic models. In many cases these were paintings intended to have only a short life, to be substituted whenever necessary by new and updated versions. But, rather than demonstrating incompetence, the craftsmen who made these paintings reveal a noteworthy ease of expression in the use of contours to create shadow and depth.

The excavations that took place along the Via dell' Abbondanza at the beginning of the 20th century – that is, after the formation of the Museum's Collection of Frescoes – have revealed many examples of shop signs. These include depictions of trades and of gods and goddesses that have been left in situ. But not all paintings of a popular character were made on the exteriors of buildings. Lararia were located in atriums or in kitchens, although because of their nature they form a separate category. There are also the paintings from inns. These have an immediacy that on occasion degenerates into vulgarity in their depiction of the attitudes of the people and of the situations illustrated. They reflect the atmosphere of the tavern, often close to a fight; the addition of phrases expressed by the regular customers and the innkeeper, in 'comic-book' style popular Latin, enhance their seemingly modern means of communication.

Examples of popular paintings have also been found in more prestigious environments, such as the atrium of the *praedia* of Julia Felix at Pompeii. There was a long frieze here that depicted market scenes, meetings and various activities taking place beneath the porticoed columns of a central square with equestrian monuments. This could be identified as any Forum, and is not necessarily that of Pompeii.

The famous fresco depicting the 'Fight between the Pompeians and Nucerians' was also painted for an interior context. It was located between panels showing scenes of combat between gladiators, and

88

da renderli assolutamente inconfondibili: la palestra, il grande recinto quadrangolare sulla destra, le mura cittadine con le torri, l'anfiteatro con la duplice rampa di scale. Non sono stati trascurati particolari importanti per la datazione degli avvenimenti, come le iscrizioni elettorali riferite a *D. Lucretius* e a *Satrius Valens*, editori di spettacoli all'epoca di Nerone. Con ogni probabilità questo dipinto ci dà l'idea di come dovevano essere le tavole, descritte dalle fonti storiche, delle "pitture trionfali", nelle quali in una veduta prospettica dall'alto veniva presentato il territorio nel quale si erano svolte le imprese del trionfatore.

I ritratti

Il volto femminile incorniciato da riccioli biondi trattenuti da una reticella dorata, che guarda verso lo spettatore tenendo l'estremità di uno stilo presso le labbra, conosciuto come "ritratto di Saffo", è uno degli affreschi pompeiani più noti, ma non si tratta né di un ritratto realistico né di uno fisionomico, in quanto non è certo rappresentato il 'tipo' della donna intellettuale anche se l'atteggiamento vuole suggerire dimestichezza con lo scrivere. I tratti del volto sono ideali, solo la acconciatura aiuta ad inquadrare cronologicamente il dipinto entro l'età neroniana. Il notissimo medaglione faceva parte, assieme a quello con un busto maschile, di una decorazione di IV Stile i cui elementi sono ora ricomposti.

Nei vestiboli e nei cubicoli erano spesso dipinti medaglioni con busti-ritratto che, pur non avendo alcuna pretesa di realismo, richiamavano forse in qualche modo le caratteristiche fisiche degli abitanti della casa; si potrebbe pensare questo dinanzi ai due quadri con i busti di due giovani tra loro somiglianti: forse due fratelli cimentatisi in gare di composizioni letterarie.

Lo stesso atteggiamento di dimestichezza con gli strumenti per scrivere si trova nel giovane visto di profilo in un medaglione proveniente da Ercolano; ma tanto in questo quanto nel ben più famoso ritratto di *Terentius Neo* e la moglie la presenza di tali strumenti è un luogo comune ricorrente appunto per collocare i personaggi al livello di borghesi colti. La coppia si è fatta ritrarre in posa, con abiti solenni, per mostrare a tutti di aver raggiunto un livello rispettabile nella società, e la soddisfazione del rango conquistato si legge nello sguardo furbo di *Terentius*, che, arricchitosi con l'attività di panettiere, aveva fatto dipingere il quadro, completo di cornice, al fondo di una stanza in posizione tale da essere immediatamente visibile a chi passava nell'atrio. La pennellata sicura, l'uso delle lumeggiature, la scelta di non migliorare l'aspetto dei due personaggi rivelano in questo caso l'opera di un abile ed esperto *pictor imaginarius* che sembra quasi essersi divertito di fronte agli imbarazzati committenti.

La consumata abilità dei copisti permetteva loro di dare intensità espressiva, o aggiungere caratteri particolari anche a immagini di genere, spesso presenti tra gli elementi architettonici di decorazioni degli ultimi decenni del I secolo d.C.

recorded the events of AD 59 when, for meaningless reasons, rivalry exploded between the spectators at a *ludus* given by *Livineius Regulus*. The locations and the monument are rendered in such a realistic manner that it is impossible to mistake them: the palaestra, the large four-sided enclosure on the right, the city walls with towers, the amphitheatre with double flights of stairs. Even important details that help to date the event can be seen, such as the electoral posters of *D. Lucretius* and *Satrius Valens*, who put on spectacles in the age of Nero. It appears that this painting can give us an idea of what 'triumphal paintings', described in the ancient sources, were like – the lands in which the triumphant general performed his deeds must have been presented with a birds-eye view.

Portraits

The female face framed by blond curls that are held back by a golden hair net, who looks towards the viewer and holds the end of a stylus to her lips, is known as the 'Portrait of Sappho'. This is one of the most famous Pompeian frescos. But it is not a portrait of a real person, nor even of an ideal type – it is not clear that it represents the 'type' of the intellectual woman, even if her pose suggests familiarity with writing. The lines of her face are idealized, and only the hair-style allows us to date the painting to the Neronian period. Together with a male portrait, this famous medallion was part of a Fourth Style decoration, the various parts of which are reconstructed here.

Medallions painted with busts and portraits were commonly found in vestibules and cubicula. Even though they made no attempt at realism, they may have recorded in some way the physical characteristics of the inhabitants of the house. This may be the case in two paintings of the busts of two young boys with similar features: they are perhaps brothers competing in a literary competition.

The same pose of familiarity with writing implements can be seen in the profile of a young man in a medallion from Herculaneum. But in this portrait, as in the more famous one of *Terentius Neo* and wife, the presence of such implements is a common recurring theme used to identify people as members of the literate middle class. The pose of the painted couple is intended to reveal that they have reached a respectable level in society. The cunning expression on his face suggests that Terentius is satisfied with his newly attained rank. Having enriched himself as a baker, he had this portrait made within a fine frame, and had it set into a room in such a way that it was immediately visible to those who passed by in the atrium. The sure strokes, the use of highlighting, the decision not to improve the appearance of the two subjects, reveal in this case the work of an able and expert *pictor imaginarius* who seems to have been almost amused by his embarrassed clients.

The consummate ability of the copists allowed them to give an in-

Terentius Neo e la moglie,
da Pompei
Terentius Neo and his
wife, from Pompeii

"Saffo", da Pompei, *Insula
Occidentalis*
'Sappho', from Pompeii,
Insula Occidentalis

I busti di divinità che costituivano un calendario completo con i mesi, i giorni della settimana, le stagioni certamente non sono ritratti, ma sono realizzati entro grandi cornici circolari simili ai *clipei* con le immagini degli avi presenti negli atrii delle grandi case patrizie. Gli dei, maggiori e minori, sono caratterizzati da attributi che li rendono perfettamente individuabili, nonostante la forte somiglianza tra alcuni di essi dovuta all'impiego dello stesso 'tipo' fisico per rappresentare personaggi diversi come Saturno e Giove, Apollo e Mercurio o Diana e Venere.

tensity of expression, or to add particular characteristics even to genre paintings, which are often found among the architectural elements of the decoration of the last decades of the 1st century AD.

The busts of gods and goddesses which form a complete calendar with the months, days of the week, and the seasons, were clearly not portraits, but are depicted inside large circular frames similar to the *clipei* that contained the images of ancestors found in the atria of grand patrician houses. Both major and minor gods are characterized by attributes that make them clearly identifiable, despite the strong similarities between some of them where the same physical 'type' has been used to portray them, such as Saturn and Jupiter, Apollo and Mercury, and goddesses such as Diana and Venus.

Progetto co-finanziato
dall'Unione Europea

POR FESR Campania
2007-2013
asse 1 ob. operativo 1.9

Regione Campania
Assessorato al Turismo
e Beni Culturali

campania
UNA TERRA ALLA LUCE DEL SOLE.

6VIAGGI IN CAMPANIA 2009

Soprintendenza
Archeologica
Napoli e Pompei

**Museo Archeologico
Nazionale di Napoli**

Direzione Scientifica
Pietro Giovanni Guzzo
Mariarosaria Borriello

*Allestimento della Collezione
degli Affreschi*
Enrico Guglielmo
Maddalena Marselli
Eva Nardella
Vega Ingravallo

Progetto Scientifico
Valeria Sampaolo
(Museo Archeologico
Nazionale di Napoli)
Irene Bragantini
(Università degli Studi
l'Orientale, Napoli)
con la collaborazione di
Paola Rubino
Fiorenza Grasso

Restauri
Laboratorio di Restauro
del Museo Archeologico
Nazionale di Napoli

Cura del Catalogo
Irene Bragantini
(Università degli Studi
l'Orientale, Napoli)
Valeria Sampaolo
(Museo Archeologico
Nazionale di Napoli)

Fotografie
Luigi Spina

Progetto grafico
Tassinari/Vetta

Editor
Nunzio Giustozzi

Traduzioni/translations
Joanne Berry

Questo volume è stato stampato
per conto di Mondadori Electa S.p.A.
presso lo stabilimento Mondadori
Printing S.p.A. Verona nell'anno 2009